JN112095

仕事のできる人が実践しているメモ術・ノート術

中川 裕
Yuh Nakagawa

はじめに

皆さんは、メモやノートを取っていますか？

「とりあえずメモは取る」「でも活かせていない」

そんな人も多いのではないでしょうか。

実は、メモを取り、ノートを書くことは、手っ取り早く仕事の成果を上げるためには不可欠です。

難しいことは何もありません。ちょっとしたコツやテクニックを知っておけば、メモした情報が格段に活かせるようになります。

本書で紹介するメモ術・ノート術は、誰にでも簡単に実践できる基本的なものばかりです。従来のメモ帳や手帳だけでなく、スマートフォンを使ったメモも紹介しています。アナログ、デジタルどちらにもよい点があるので、自分に合ったものを自分流にアレンジして取り入れてみてください。なお、本書は２０１７年に発売された『図解！頭のいい人のメモ・ノート』の改訂の新本です。

メモを取り、ノートを書くことは、今日から、誰にでもできます。

ぜひメモ術・ノート術で仕事の成果・評価アップを目指してください。

『仕事のできる人が実践しているメモ術・ノート術』目次

はじめに　3

Chapter 1

今すぐ仕事で結果を出す！「メモ」の基本テクニック

01 メモ・ノートを仕事の成果につなげよう！　14
02 メモはあなたの記憶をサポートする強い味方！　18
03 メモツールを決めておくとメモ&検索がスピードアップ　20
04 「日付を入れる」「すぐに書く」が基本ルール　22

05 「メモ用紙1枚に1用件」でミスを防ぐ 24
06 長い話は「ポイント」「必要な情報」のみをメモする 26
07 「何を→どうする」を意識して、できるだけ詳しく書く 28
08 「5W2H」を押さえると、情報の漏れが防げる 30
09 「略語」「記号」を使うとスピーディーにメモできる！ 32
10 「超高速」でメモするためのテクニックとツール選び 34
11 「→」「—」「○」がポイント！ 情報がイメージでわかる図解 36
12 カラーペンで「大事な部分」を目立たせる 38
13 相手がメモしやすい話し方は「結論から」「手短に」 40
14 「メモ+メール」で「言った」「言わない」を未然に防ごう 42
15 罫線やミシン目に注目する 44
16 メモ帳・ノートは「綴じ」にも注目して選ぶ 46
17 どんどんメモがしたくなる「書きやすいペン」選び 48

18 メモ用紙とペンは「3秒」で書けるポジションに置く 50
コラム ポケットサイズのメモ帳の選び方 52

Chapter 2

情報をムダなく活かす！ かんたん「ノート術」

01 何でも自由にたくさん書ける！ ノートは万能データベース 54
02 散らばったメモは「ノート」に集めよう 56
03 「ＰＤＣＡ」サイクルを回すため、ノートに仕事の記録を残そう 58
04 仕事ノートは「1冊から」始め、「時系列」で書いていこう 60
05 「余白」をとって「ゆったり」書く 62
06 「キーワード」だけでＯＫ！ 「箇条書き」でスッキリ書く 66
07 まずは「結論」。「理由」「経過」はその後で 68

08 「数字」「日時」は具体的に。あいまい表現は混乱のもと 70
09 「日付」「見出し」をインデックス化。情報検索をかんたんにする 72
10 情報を「追加」「修正」してノートを充実させよう 74
11 見返したい「書類」はノートに貼ってしまおう 76
12 「大きなB5」はデスク向き、「小さなA5」は持ち歩きにぴったり 78
13 「罫線の種類」はノート選びの重要ポイント 80
コラム マスキングテープは便利なメモツール 82

Chapter 3

スケジューリングを極めよう！ 段取り力が上がる「手帳」術

01 予定は「すぐに」「すべて」書き、こまめにチェック！ 84
02 段取り力が上がる！ 「スケジュール欄」の書き方 86

03 「いつから→いつまで」「1人の仕事」も記入して空き時間を把握する 88
04 「ガントチャート」で複数の仕事もスッキリ管理 90
05 書き込みスペースが補える！「ふせん」は手帳の強い味方 92
06 「ふせん」はスケジュール欄でこう使う 94
07 「結果」「実績」をメモすれば仕事の効率がアップする 96
08 「ふせんTODOリスト」をスケジュールと連動させよう 98
09 思いつきを手帳にメモして「アイデアノート」にする 100
10 「フリーページ」が役立つデータベースに大変身 102
11 「備忘録」が手帳にあれば、いつでもどこでもチェックできる 104
12 「今年の目標」は手帳に書き、毎日ながめて実現すべし 106
13 「今日は何した？」その日の出来事をひとことメモ 108
14 3行日記で日々の記録を残す 110
コラム スケジューリングはここに注意！ 112

Chapter 4

今日から実践！仕事のメモ術ノート術

01 あわてずに「電話」をかける・受けるメモ 114
02 「仕事ノート」にプロジェクトのすべてを記録しておく 116
03 「PDCAノート」で業務改善のサイクルを回していこう 118
04 「トラブル記録ノート」で同じ失敗を繰り返さない 120
05 会議の「準備メモ」があれば会議中のノートがすらすら取れる 122
06 会議のポイントをすばやく書きとめるコツ 124
07 コミュニケーションを円滑にする人に会うときのメモ 128
08 「打ち合わせノート」をコミュニケーションツールにしよう 130
09 ふせんとノートで「ひとりブレインストーミング」 132
10 「問題解決ノート」で思いつきを確実に実行に移す 134

11 「セミナーノート」で学びを行動につなげよう 136
12 「復習ノート」があれば知識がしっかり身に着く 140
13 「プレゼンテーション」はノート上で構想を練ろう 142
14 イメージで情報が理解できる「図解ノート」 146

Chapter 5

スマホでかんたん！「デジタルメモ」を取り入れよう

01 役立つ機能満載！ 実は便利な「メモアプリ」 150
02 アイコンの定位置は「右下」！ メモアプリに3秒でアクセスする方法 152
03 手書きや写真もOK。iOS「メモ」アプリはとっても便利 154
04 「Google Keep」はふせん感覚のメモアプリ 156
05 「日時」と「場所」で教えてくれるリマインダー 158

06 手入力は面倒……そんなときには「声」でメモする 160
07 アイデアから会議まで「音声メモ」は使い道たくさん 162
08 「議事録」も作成できる？ 長文の音声入力にチャレンジ 164
09 メモは「クラウドストレージ」に保管で再利用・共有がしやすくなる 166
10 スマホカメラは最強最速のメモツール 168
11 写真を迷子にしないデータの整理方法 170
12 書類や写真の文字は「OCR機能」でテキストデータ化 172
13 使い慣れたGメールは「下書き」でメモする 174
コラム LINEのメモ機能を使ってみよう 176

Chapter 6

誰にでもできる！ シンプル「英語メモ」に挑戦

01 日本語より速く書ける？ 「英語メモ」にはメリットたくさん 178
02 スマホでかんたん！ わからない単語・表現を一発検索 180
03 英語で「ひとこと」だけメモしてみよう 182
04 英語の「略語」でメモをスピードアップ！ 184
05 「チェックリスト」を英語で作り、ボキャブラリーを増やそう 186
06 英語で「スケジュール」を記入してみよう 188
07 TODOリストは「何を＋どうする」を意識して書く 190

Chapter 1

今すぐ仕事で結果を出す！「メモ」の基本テクニック

01 メモ・ノートを仕事の成果につなげよう！

「あなたはメモを取っていますか？」

こう聞かれたら、たいていの人は「取っている」と答えると思います。

でも「取ったメモを読み返し、仕事に活かす」ことができていますか？

ただ書き捨てるだけのメモになってはいないでしょうか。

日々の仕事の中で、メモが活用できる場面はたくさんあります。

たとえば、大きな会議を担当することになったとしましょう。

初めての仕事なので、わからないことだらけ。資料の作成方法やプロジェクターの使い方、会議室の予約の仕方……。誰かに教えてもらうことがたくさんあります。

仕事ができる人は、ここで **「今回教わったこと」をすべてノートにメモ**します。

すると今後は、ノートを見返せば一人で仕事を進めることができるようになります。

会議の準備中にも、資料の作成、参加者への連絡、会場の手配など、さまざまな作

メモは仕事力アップに直結

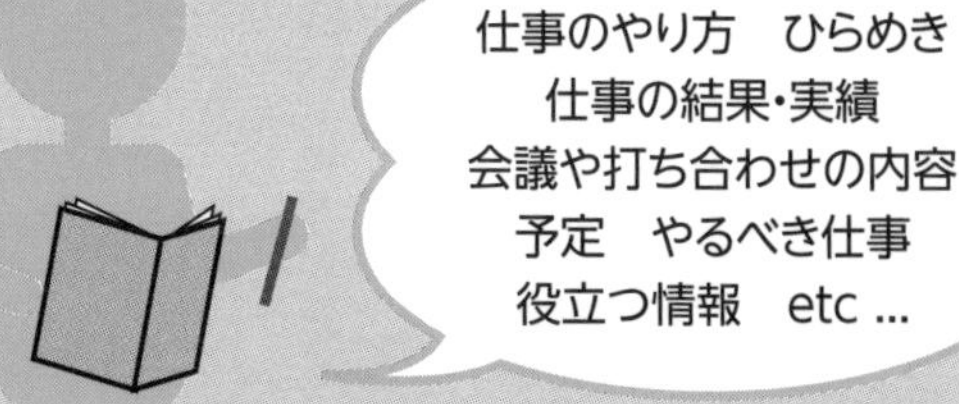

メモする  読み返す  ベストの成果を出す!

業が発生します。きっとＴＯＤＯを考えて書き出し、よく考えてスケジュールを組み、思考錯誤しながらもなんとか進めていくでしょう。

仕事ができる人は、**ここでどんな作業が発生し、どんなスケジュールで、誰がどのように進めたのかもノートにメモ**しておきます。

また、そのときに、個々の作業の結果はどうだったのか、どの作業に何時間かかったのか、といった**作業実績もメモ**します。

すると、**ノートにノウハウが蓄積**されて、今後は準備の時間が大幅に短縮できるのです。

もちろんすべてが順調には行きません。「資料が足りなくなった」「スクリーンが見にくい席があった」等、トラブルやミスもありました。

仕事ができる人は、ここで**トラブルやミスの内容もメモ**しておきます。
さらに**原因を分析し、対策を考えたら、それもメモ**。今後はその対策を実行することで、同じ間違いを繰り返さずに済むのです。

また、会議の資料収集のためにインターネットを見ていたら、便利そうなTODOアプリを見つけました。仕事ができる人は、この**情報もすかさず手帳にメモ**。後で詳しく調べて導入すれば、今後はより効率的にTODO管理ができるようになるのです。

「今度の会議はもっと大きな会場のほうがいいのでは?」という**思いつきもメモ**しておきます。すると次のミーティングで、忘れずに提案することができるでしょう。


以上のような場面で、メモを一切取らなかったらどうでしょう。

何度も同じことを聞き直し、作業は毎回イチからやり直し。せっかくの有益な情報、思いつきも忘れてしまい、ムダになってしまいます。

ノウハウ、情報、アイデア等をムダにせず、実力を出し切る――そのためにはメモを取り、読み返す、という作業が不可欠なのです。

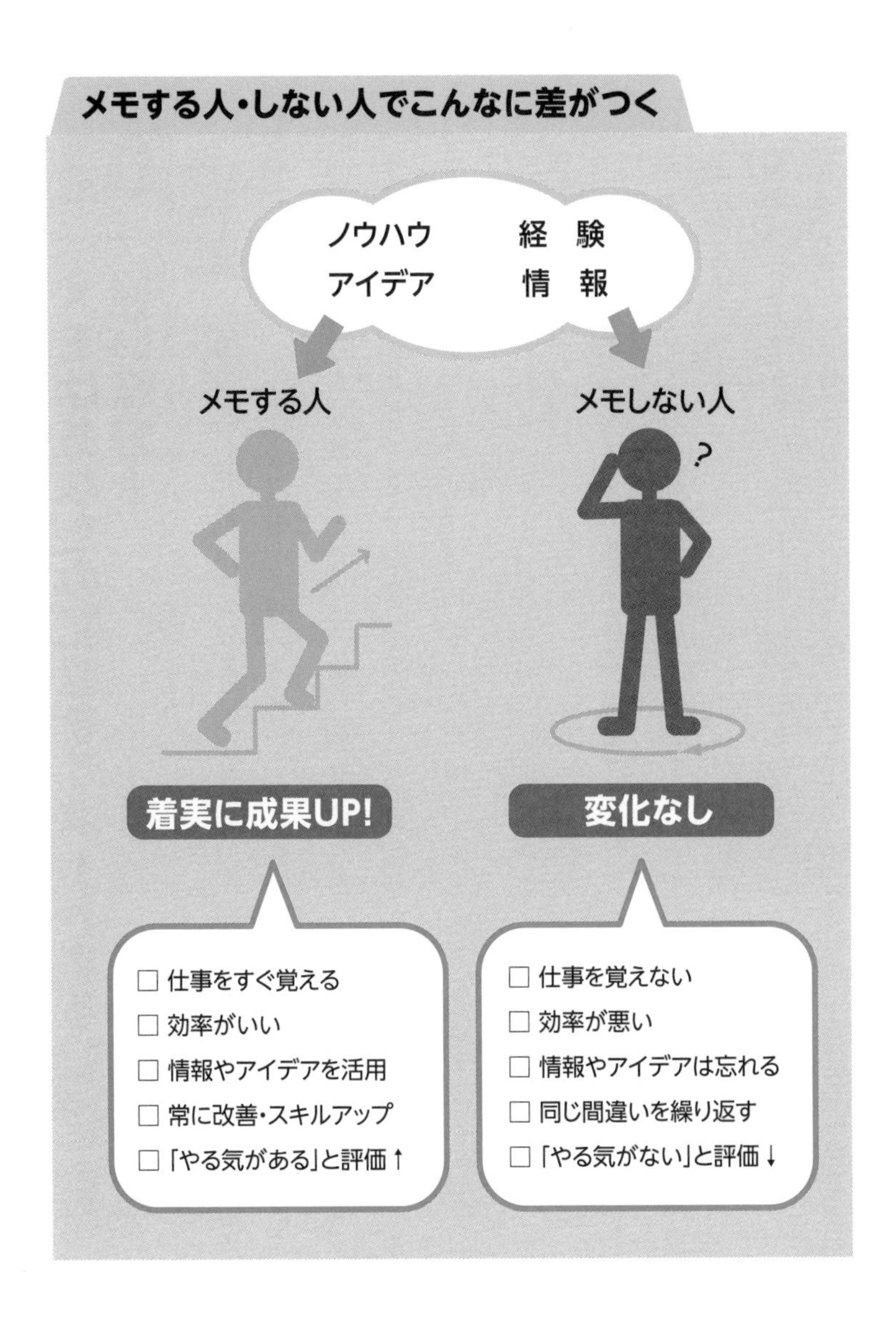
メモする人・しない人でこんなに差がつく
ノウハウ
経 験
アイデア
情 報
メモする人
メモしない人
?
着実に成果UP!
変化なし
□ 仕事をすぐ覚える
□ 効率がいい
□ 情報やアイデアを活用
□ 常に改善・スキルアップ
□ 「やる気がある」と評価↑
□ 仕事を覚えない
□ 効率が悪い
□ 情報やアイデアは忘れる
□ 同じ間違いを繰り返す
□ 「やる気がない」と評価↓

02 メモはあなたの記憶をサポートする強い味方！

たとえば、仕事で展示会に出かけたときに、見たもの、聞いたものについて一切メモを取らなかったらどうでしょう。「内容は覚えているから大丈夫！」と自信満々でも、いざ報告書の作成という段階になって、断片的な記憶しかないことに愕然とするはずです。結果、思い出せることを書くしかなく、肝心な情報が抜けてしまうことも。作成にも時間がかかってしまいます。

人間の記憶力には限界があります。

上司からの指示、パソコンの操作方法、頭に浮かんだアイデア……。すべてを覚えておくなんてとても無理。きれいさっぱり忘れてしまった、なんてことは日常茶飯事です。記憶違いから仕事にミスが生じれば、後始末は大変です。

人間は忘れるのが当たり前。だから**忘れてもいいようにメモを取る**のです。

メモには正しい情報がいつまでも保存されるので、いつでも読み返して役立てるこ

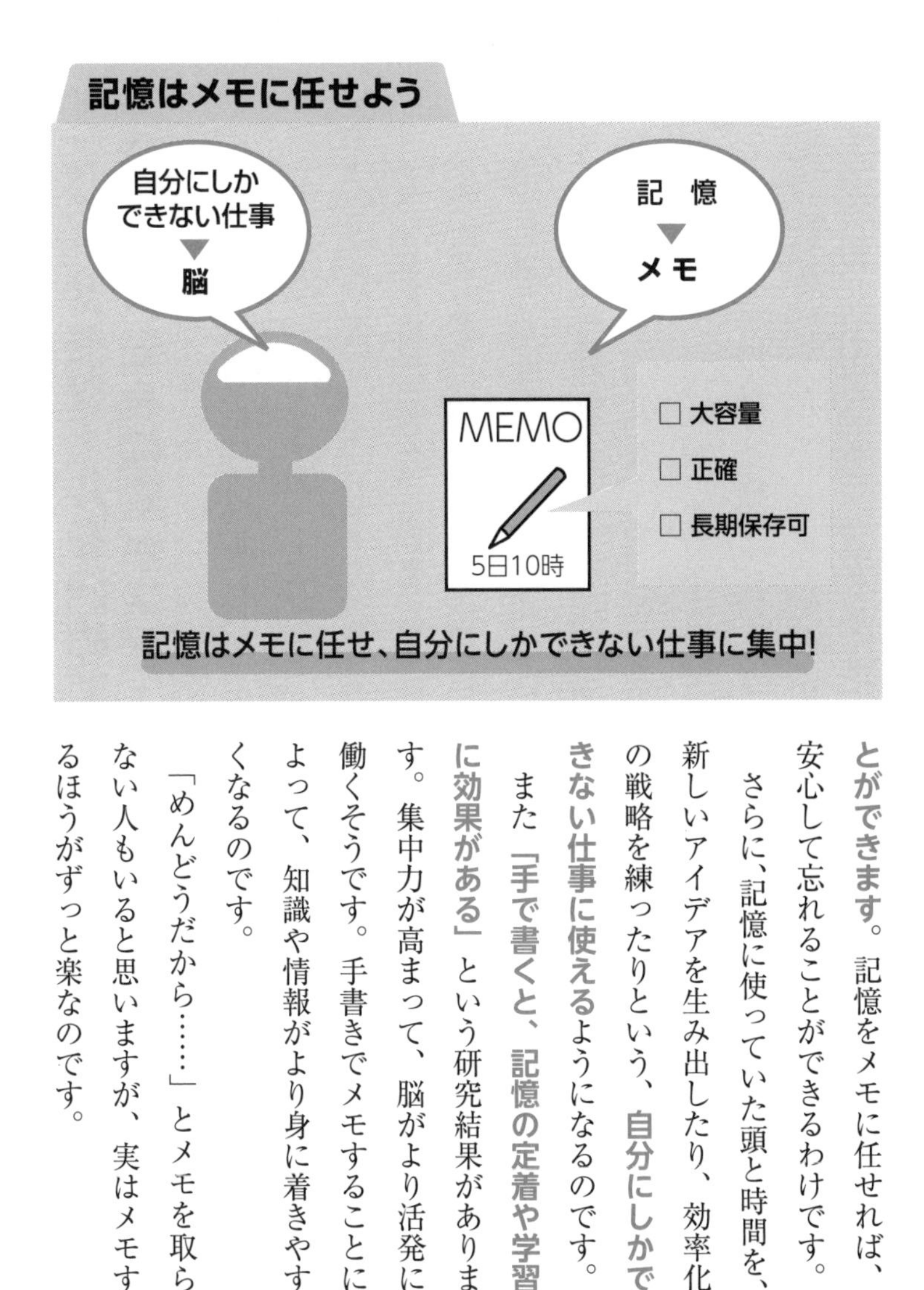

とができます。記憶をメモに任せれば、安心して忘れることができるわけです。

さらに、記憶に使っていた頭と時間を、新しいアイデアを生み出したり、効率化の戦略を練ったりという、**自分にしかできない仕事に使える**ようになるのです。

また「**手で書くと、記憶の定着や学習に効果がある**」という研究結果があります。集中力が高まって、脳がより活発に働くそうです。手書きでメモすることによって、知識や情報がより身に着きやすくなるのです。

「めんどうだから……」とメモを取らない人もいると思いますが、実はメモするほうがずっと楽なのです。

03

メモツールを決めておくとメモ&検索がスピードアップ

手帳にメモ帳、裏紙にスマホ、レシート……。

メモをあちこちに書き散らしていると、すぐ行方不明になるし、書いたことすら忘れてしまいます。これでは何のためにメモを取ったのかわかりません。

メモは書くことが目的ではなく、後で読み返し、活用することが目的なのです。

そこで**メモするツールは決めて**おきましょう。

まず「メモはこのメモ帳に書く！」というように、メインのツールを決めます。そして常に持ち歩き「見た・聞いた情報」「思いつき」など、必ずそこにメモを取ります。

ツールが決まっていると、「どこに書こう？」と考える必要もなくなりますし、後で情報を見返すときには、そのツールだけを見ればいいのです。

メモツールを決めて、必ずそこに書く――これが情報を確実に活かすコツです。

メモ帳を忘れてレシートや裏紙などイレギュラーなものにメモを取ったときは、「財布の中に入れる」のように「一時保管場所」を決めておきましょう。

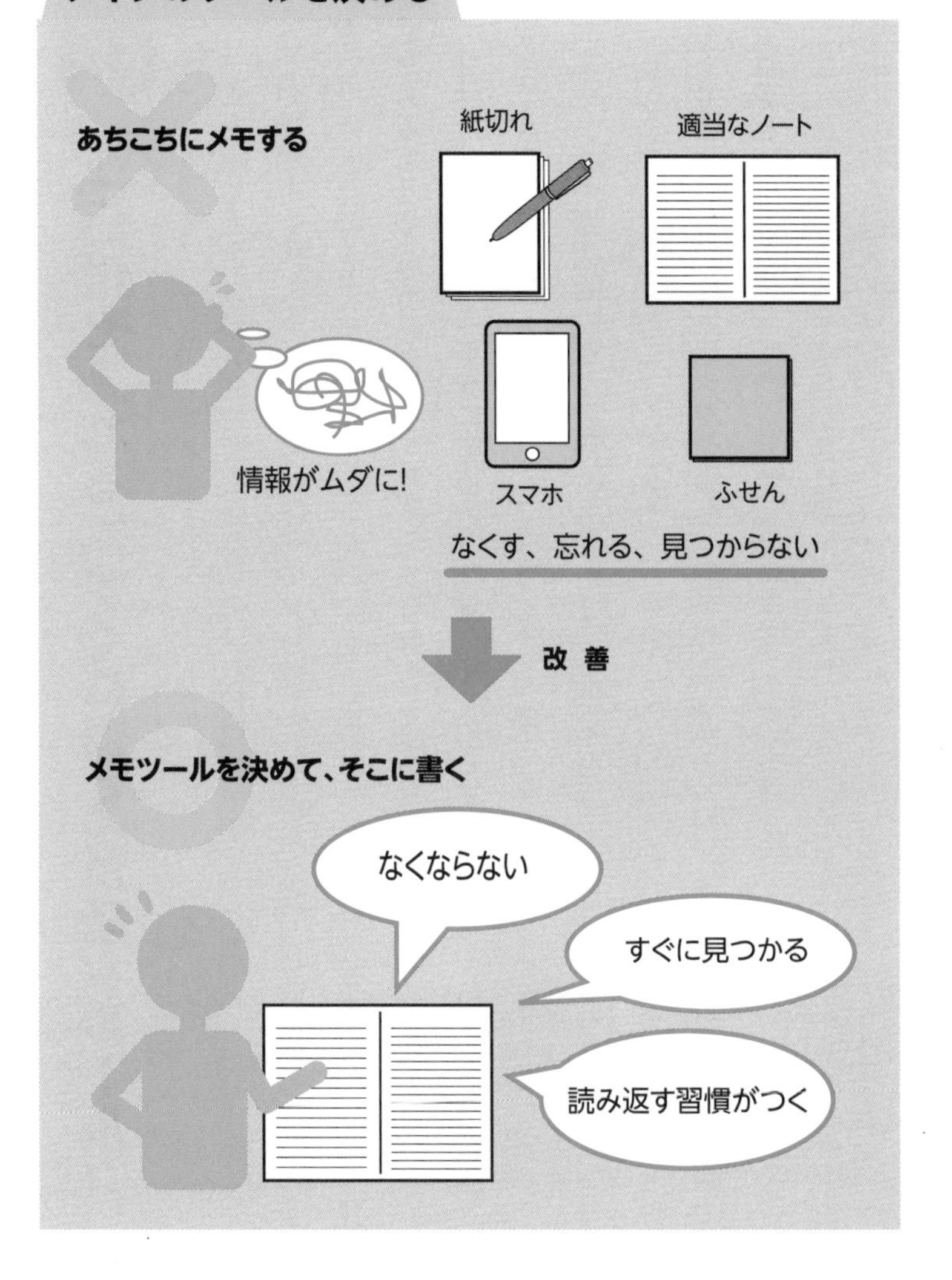
メインのツールを決める
あちこちにメモする
紙切れ
適当なノート
情報がムダに!
スマホ
ふせん
なくす、忘れる、見つからない
改善
メモツールを決めて、そこに書く
なくならない
すぐに見つかる
読み返す習慣がつく

04
「日付を入れる」「すぐに書く」が基本ルール

メモを取るとき、**必ず書いておきたいのは「日付」**です。

その場で書き捨てるメモ以外、すべてに日付を入れましょう。時間が経つと、いつ書いたメモなのかがわからなくなるからです。何のメモか忘れてしまったときも、日付があることで、スケジュールと照らし合わせて思い出せるかもしれません。

日付は「9/5」のように簡単に書けばOKです。長期保存しておきたい情報には「20XX/9/5/水」のように西暦、曜日も書くとよいでしょう。

また、メモは**「聞いた」「見た」「思いついた」その場で書きましょう**。「後で書こう」と思っていると絶対に忘れるし、間違った情報を書いてしまうこともあります。話が聞き取れなかった、理解できなかったときは、**遠慮せず「その場」で確認**してください。時間が経つほど聞きにくくなります。

これ以外にも、メモするときに知っておきたい基本ルールはいくつかあります。次ページ以降で見ていきましょう。

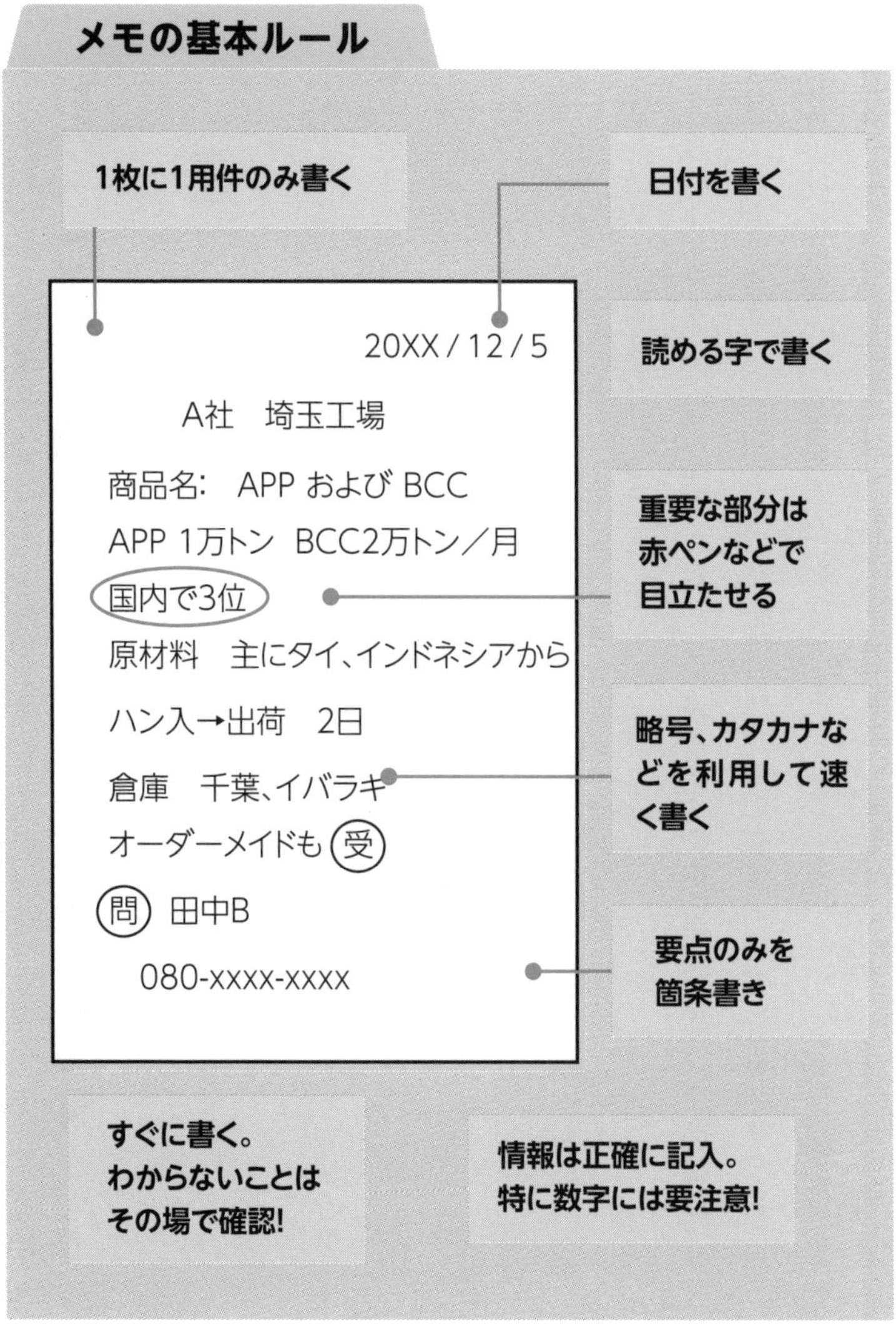

メモの基本ルール

1枚に1用件のみ書く

日付を書く

20XX / 12 / 5

A社　埼玉工場

商品名:　APP および BCC

APP 1万トン　BCC2万トン／月

国内で3位

原材料　主にタイ、インドネシアから

ハン入→出荷　2日

倉庫　千葉、イバラキ

オーダーメイドも ㊀受

問 田中B

080-xxxx-xxxx

読める字で書く

重要な部分は赤ペンなどで目立たせる

略号、カタカナなどを利用して速く書く

要点のみを箇条書き

すぐに書く。わからないことはその場で確認!

情報は正確に記入。特に数字には要注意!

05

「メモ用紙1枚に1用件」でミスを防ぐ

「1枚のメモ用紙に書く用件は1つ」

これは小さいメモ用紙やふせんにメモを取るときの大原則です。

たとえば「伊東さん来社　9時〜」とメモを書いたら、余白があっても他の用件は同じメモ用紙には書きません。ケチケチしないで**別のメモ用紙に書いてください**。

紙の裏と表の両面にメモするのも厳禁です。**片面のみ使う**ようにしてください。

理由は、**1枚にいくつもの用件を詰め込むと混乱しやすい**からです。1つの用件を片づけたら、メモ用紙を捨ててしまった、ということが必ず起こってきます。「裏にも書いたのに忘れてた！」ということもあるでしょう。

1枚に1用件なら、**用が済んだらメモ用紙をすぐに捨てられます。誰かに渡すときもさっと渡せます。保管しておきたい場合は、そのままノートに貼れます。**

メモは、後で読んで利用するために書くものです。「もったいない」のは確かですが、情報がムダになるよりはずっとよいのです。

1枚1用件が基本

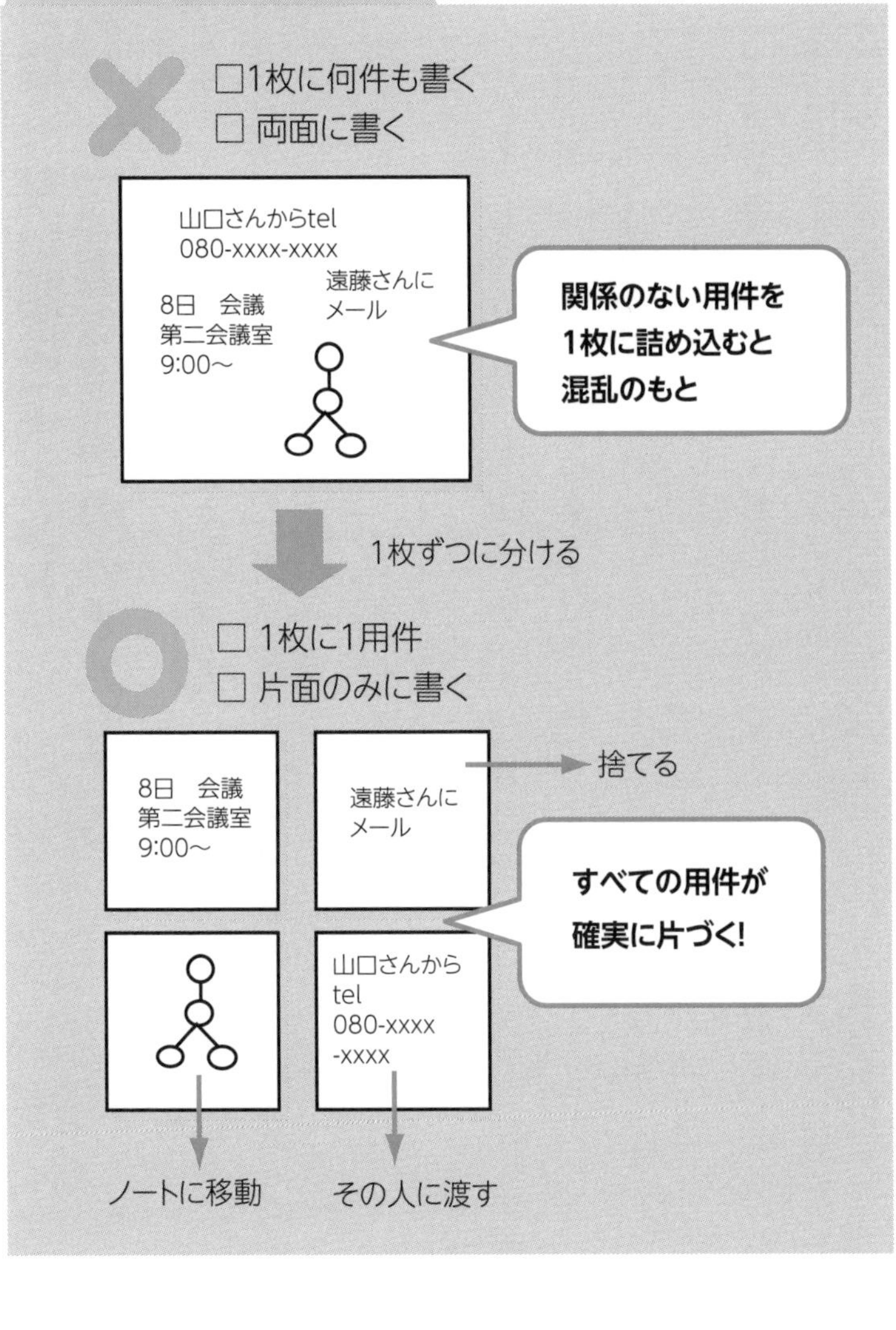

×

□1枚に何件も書く
□ 両面に書く

山口さんからtel
080-xxxx-xxxx
8日　会議
第二会議室
9:00〜
遠藤さんに
メール

関係のない用件を1枚に詰め込むと混乱のもと

1枚ずつに分ける

○

□ 1枚に1用件
□ 片面のみに書く

8日　会議
第二会議室
9:00〜

遠藤さんに
メール
→ 捨てる

すべての用件が確実に片づく!

→ ノートに移動

山口さんから
tel
080-xxxx
-xxxx
→ その人に渡す

06 長い話は「ポイント」「必要な情報」のみをメモする

人の話には、ムダな情報、関係ない情報がたくさん含まれています。

人の話をメモするときは、**「話のポイント」「自分に必要な情報」のみを書きとめる**ようにしてください。

文章でまとめる必要はなく、キーワードの箇条書きでじゅうぶんです。

ただし、話のポイントはどこか、必要な情報がどれなのかは、話をよく聞かなければわかりません。ですから、まずはコミュニケーションを取りながら、相手の話を真剣に聞きましょう。**話の内容を理解することが第一、その次がメモ**です。話の中身、ストーリーが理解できていれば、メモを読み返したときに「これどういうことだっけ？」ということもなくなります。

必ずメモしておきたいのは、「数字」「地名」「人名」といった情報です。これらは大事な情報であることが多いのですが、後で思い出すのが難しい情報です。聞き取れなかった、わからなかった場合はその場で確認して、正しくメモしてください。

ポイントのみメモする

わが社のIT化はまだまだですね。考えてはいるんですけど……。そう、理由はいろいろあるんですが、まあ、お金ですね。コスト。結局そこですよ。効果もよくわからないし。(中略)今でもなんとかなっているので。あと、わかる人もいないんですよ。人材ですね。もともと職人気質の人間が多いんで、やり方を変えたくない、今のままでいいって考えなんですよね。あと、個人情報がどうとかいうのも、よくニュースで騒がれているじゃないですか。あれも心配で……

わからなかったからといって、「たぶんこうだよね?」という憶測を書くのは厳禁です。あやふやな部分には**「要確認」のように書いておき、必ず確認**してください。

「話を聞いて理解する」ことと「メモを取る」ことの同時進行は至難の業。慣れないうちは、聞こえた単語を書きとめるのが精いっぱいだと思います。

そこで、**話が終わったら即座にメモを見直し**。不明な点を確認したり、必要なことを書き足したり、大事な部分にマルをつけたりして、情報を補ってください。

必要な情報を聞き分けてメモを取ることは、一朝一夕にはできません。経験を積むことは必須ですが、必ず慣れていくはずです。

07 「何を→どうする」を意識して、できるだけ詳しく書く

もし、あなたの手元にあるメモに「チラシ」としか書かれていなかったら、チラシをどうするのかサッパリわかりませんよね。

もちろん書いた時点ではわかっているのですが、時間が経つとわからなくなってしまうのです。人間の記憶は自分で思っているより、はるかにアテになりません。メモだからと情報を省略しすぎると、後で意味不明になってしまいます。

メモは「何を→どうする」のように「主語」と「述語」を意識して書きましょう。

たとえば「チラシ」だけでなく「チラシ　デザイン再考」と書きます。こうすれば何をすべきか明らかだし、「チラシをどうするんだっけ?」と思い出す手間も省けます。

同様に「電話」は「鈴木さんに・電話」という感じです。この場合は「鈴木さん・電話」ではなく「鈴木さんに」と「に」を入れるだけで明確になります。

メモを読むのは未来の自分です。未来の自分は他人と同じ。他人が読んでもわかるだけの情報は盛り込むように心がけてください。

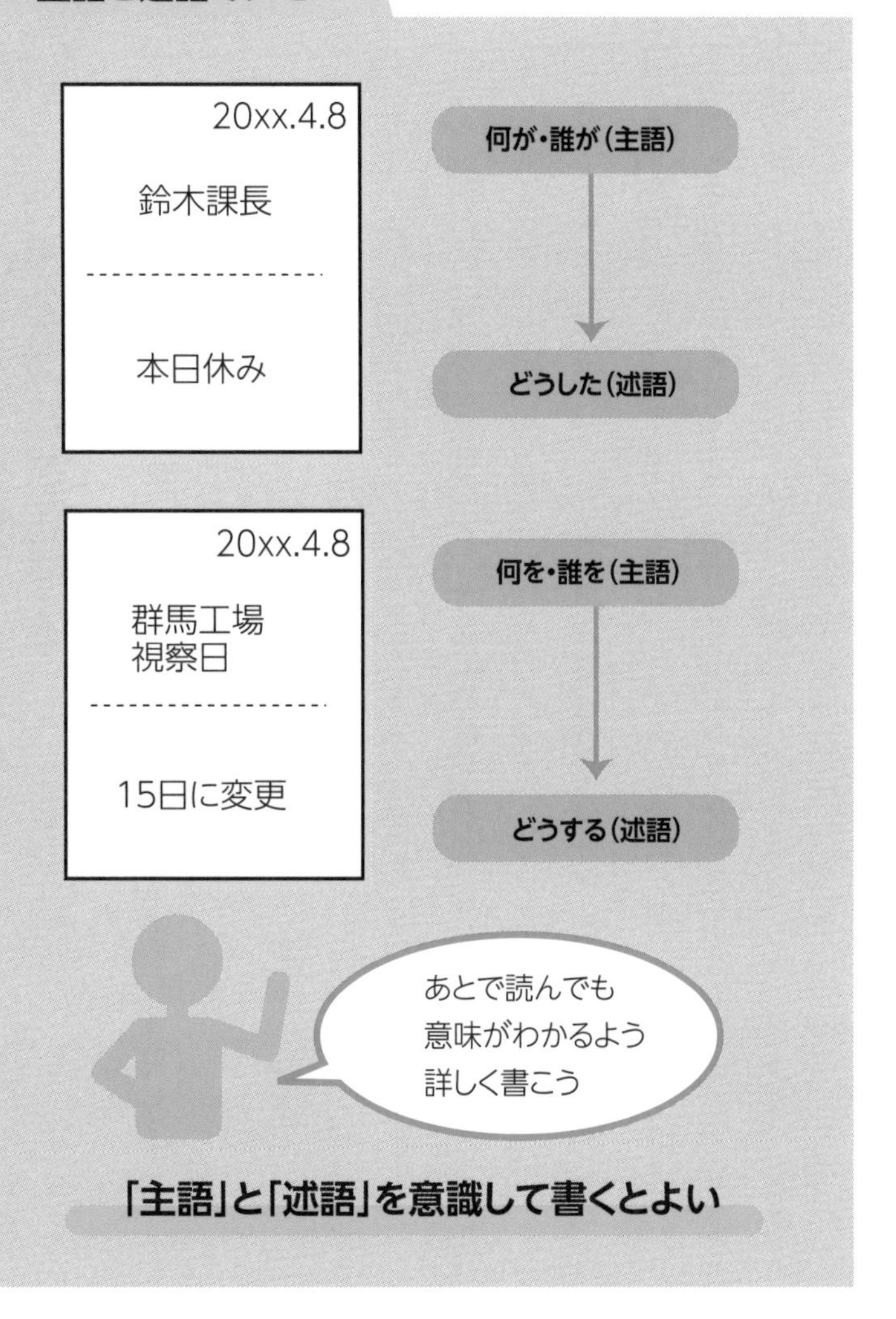
主語と述語でメモ
20xx.4.8
鈴木課長
本日休み
何が・誰が（主語）
どうした（述語）
20xx.4.8
群馬工場
視察日
15日に変更
何を・誰を（主語）
どうする（述語）
あとで読んでも
意味がわかるよう
詳しく書こう
「主語」と「述語」を意識して書くとよい

08

「5W2H」を押さえると、情報の漏れが防げる

メモの情報に「漏れがないか?」を確認するには、**「5W2H」が盛り込まれているかどうかをざっとチェック**するのが効果的です。

5W2Hとは、「Who(誰が)」「What(何を)」「When(いつ)」「Where(どこで)」「Why(なぜ)」「How(どのように)」「How much(いくらで)」のこと。情報を伝えるときの必須項目で、これらをチェックすることで情報の漏れを防ぐことができます。

中でも**「日付」「時間」「金額」といった数字は重要**な情報であることが多く、抜けていたり間違えたりすると大きなミスにつながります。怪しいときは、その場ですぐに確認してください。また、日付は「来週」「来月」ではなく、「4月3日」のように**具体的な数字で書く**ようにしてください。

企画書・報告書を書くときや、部下に指示を出すときなども、5W2Hに抜けがないか確認するとよいでしょう。なお、内容によっては5W2Hすべてが盛り込まれるとは限りません。その場合は必要な情報が記録されていればOKです。

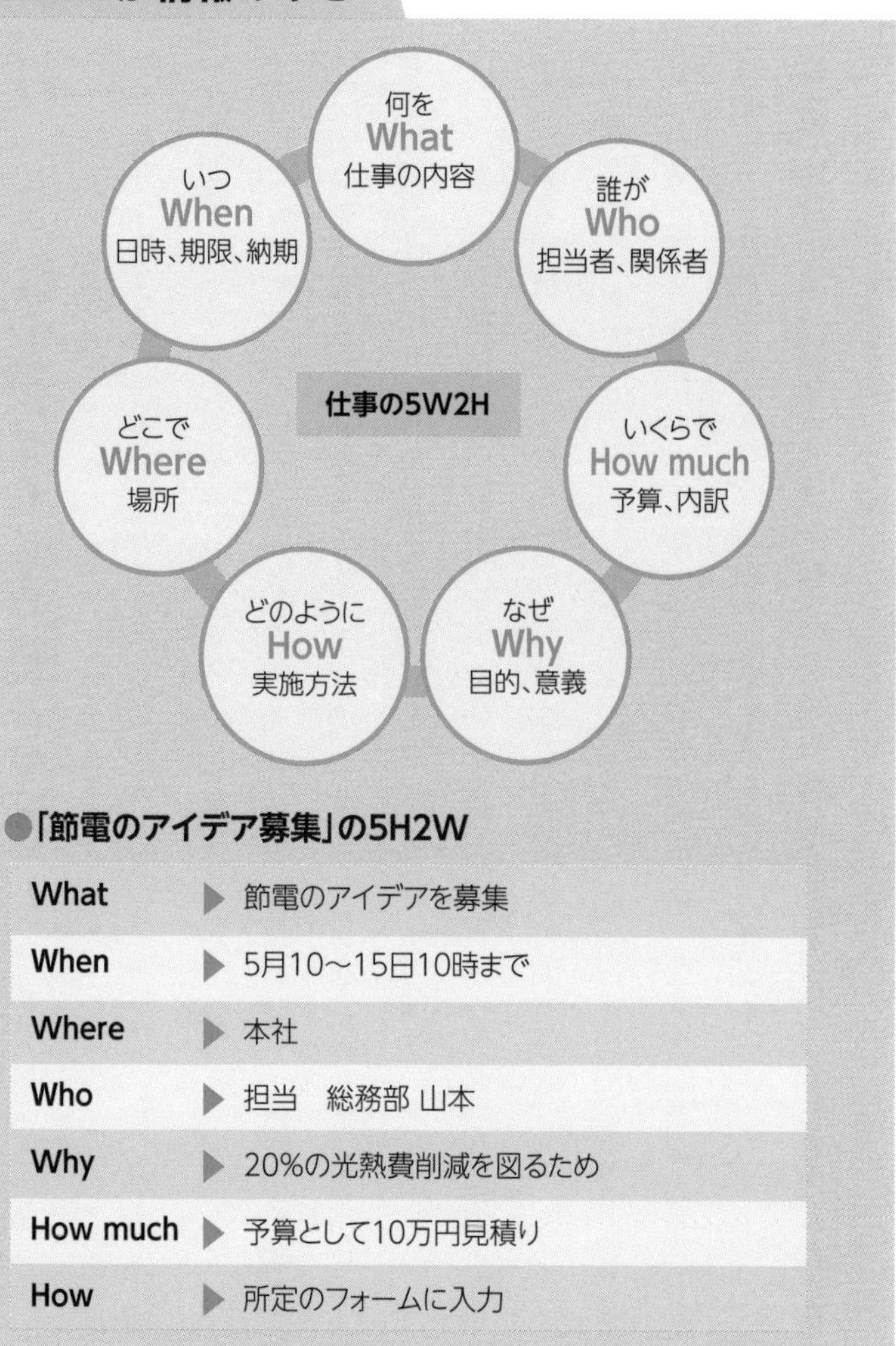

What	▶ 節電のアイデアを募集
When	▶ 5月10～15日10時まで
Where	▶ 本社
Who	▶ 担当　総務部 山本
Why	▶ 20%の光熱費削減を図るため
How much	▶ 予算として10万円見積り
How	▶ 所定のフォームに入力

09

「略語」「記号」を使うとスピーディーにメモできる！

メモを書く速さは、話すスピードにとうてい追いつかないので、速く書くには「略語」が必須です。表し方に決まりはないので「社名はアルファベットの最初の一文字」のように、マイルールを決めておきましょう。「課長＝K」のように、**よく使う言葉には決まった略語を考えておく**と楽です。社内や業界でよく使われる言葉も同様です。

漢字は画数が多いので、**カタカナで書く**とかなり速くなります。

また、よく使う漢字はだいたい決まっていますから、日頃「書くのが面倒だな～」と感じている字は「国」→「〼」のように略し方を決めておきましょう。

「重要…☆」「UP…↑」「DOWN…↓」のように、**「記号」を使う方法**もあります。記号は自分で考えていいのですが、イメージから想像がつくシンプルなものにしておきましょう。忘れそうなら、手帳に一覧表を書いておくと安心です。

略語や記号には「情報を暗号化する」という側面もあります。知られたくない情報や予定は記号や略語を使って書くと、情報の保護につながります。

略語と記号を使おう

最初の1文字をとる、◯で囲む

会議＝㊎会 交渉＝(交) 検討＝(検)
山田商事＝(山) 上田さん＝(上) 蒔田運輸……(マ) (M)

省略する

電話をかける …tel、T
メールを出す ….ml
ファクスを送る ..fax、F
郵便を出す……〒
プリントする…..PT
企画部 ……….企、P部
会議…………会、M、MTG
打ち合わせ……打
出張……….出
報告……….報
第一会議室 ..R1（Room 1）
山本部長…..山本B
営業部 ……..SL部
直帰……….NR（No Return）
池袋……….池
東京……….TKY

カタカナで書く

会議………会ギ
稟議書……リンギショ
遠藤……エンドウ
新橋……シンバシ

漢字を略す

歴……厂 働……仂 座……广 届……尸
問……门 原……厂 圏……囗 医……匚

記号を考える

重要……☆ 未確定……? 成果あり……◎ 要確認……!
上がる……↑ 下がる……↓

10 「超高速」でメモするためのテクニックとツール選び

もっとメモのスピードを上げたいときは、次のことも試してみてください。

まず、大きなノートにメモする場合は、**ページに縦線を引いて区切り、左側にメモします。**線を引くと左右への移動が少なくて済むので、書くのも読むのも速くなるのです。右側は補足などを書くのに使用します。

また、**ノートやメモ帳の罫線は無視して、大きな字で一行おきくらいに書きます。**罫線に合わせてきれいに書こうとすると、そちらに気を取られてしまい、話を聞く、メモする、という本来の目的がおざなりになります。ノートやメモ帳は**「罫線の薄いもの」を選ぶと、罫線が気にならず自由に書けます。**字は自分で読めればＯＫです。

そして、いったん書き始めたら、**前に戻らず、どんどん書き進めて**ください。「あれ？さっき何て書いたっけ？」と思っても、そのまま書き続けます。いったんメモの流れをとめてしまうと、話についていけなくなってしまうからです。あいまいなところは、メモを書き終わったら即座に見直し、補足や訂正をするようにしてください。

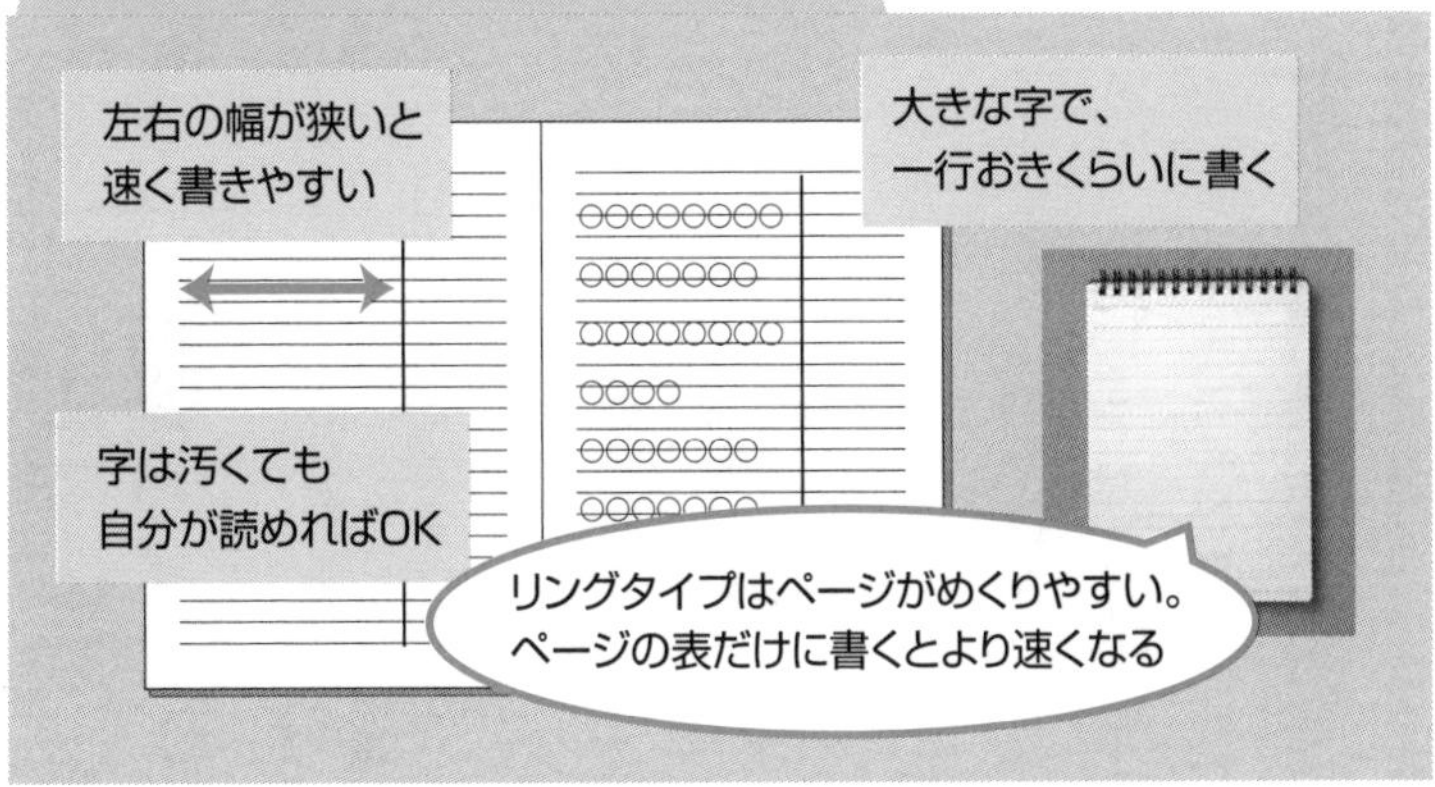

●ツール選び

メモ帳を手に持ってメモする場合、ページがめくりやすいのは上辺にリングがついている「リングタイプ」のメモ帳やノートです。紙の両面ではなく片面にのみ書くようにすると、ページをめくってすぐに書き込みができます。

ペンは必ず試し書きをして、**すべりがよく、サラサラ書けるもの**を選びましょう。大量に速く書くときは、ペン先は0・5~0・7ミリ程度の太めのものがおすすめです。ペン先が細すぎて引っかかるとか、インク玉ができやすい、字がかすれるものでは速く書けません。

細すぎるペンは握りにくいので、超速で書きたいときには不向き。手にフィットするペンを用意してください。

11

「↓」「―」「○」がポイント! 情報がイメージでわかる図解

メモはムダな情報を極力省き、キーワードを箇条書きするのが基本です。しかし、それだけでは話の流れやキーワード同士の関係がわかりにくいこともあります。

そんなときは「―(罫線)」「↓(矢印)」「○」を使って、話の流れやキーワードの重要度、キーワード同士の関係性などを表すと効果的です。

たとえば「企画書作　山本Bチェック　プレゼン資料作」と箇条書きしたメモに、「企画書作↓○山本Bチェック↓プレゼン資料作」と単語と単語の間に矢印を入れます。そして重要なステップである「山本Bチェック」には「○」をつけておきます。

たったこれだけですが、「企画書を作ったら、山本部長にチェックしてもらい、それからプレゼン資料の作成に取りかかるんだな」という流れや、「部長チェックを忘れないように」と大事なことがパッとイメージでわかるのです。

このように普段から情報を図で整理する習慣をつけておくと、プレゼンテーションの資料作成などにも役立つはずです。

情報を図解する

それではインターネット広告の出稿までの流れを説明させていただきます。まずお客様のご希望をうかがって、こちらからから最適なプランを提案させていただきます。納得いただきましたらご契約です。アカウントを開設いたします。ここで製作費用をお支払いいただきます。その後こちらでクリック数が増える効果的な広告文を作成し、確認していただきます。それが済みましたら出稿となります。ご契約から出稿までは、だいたい1カ月みていただければじゅうぶんかと思います。

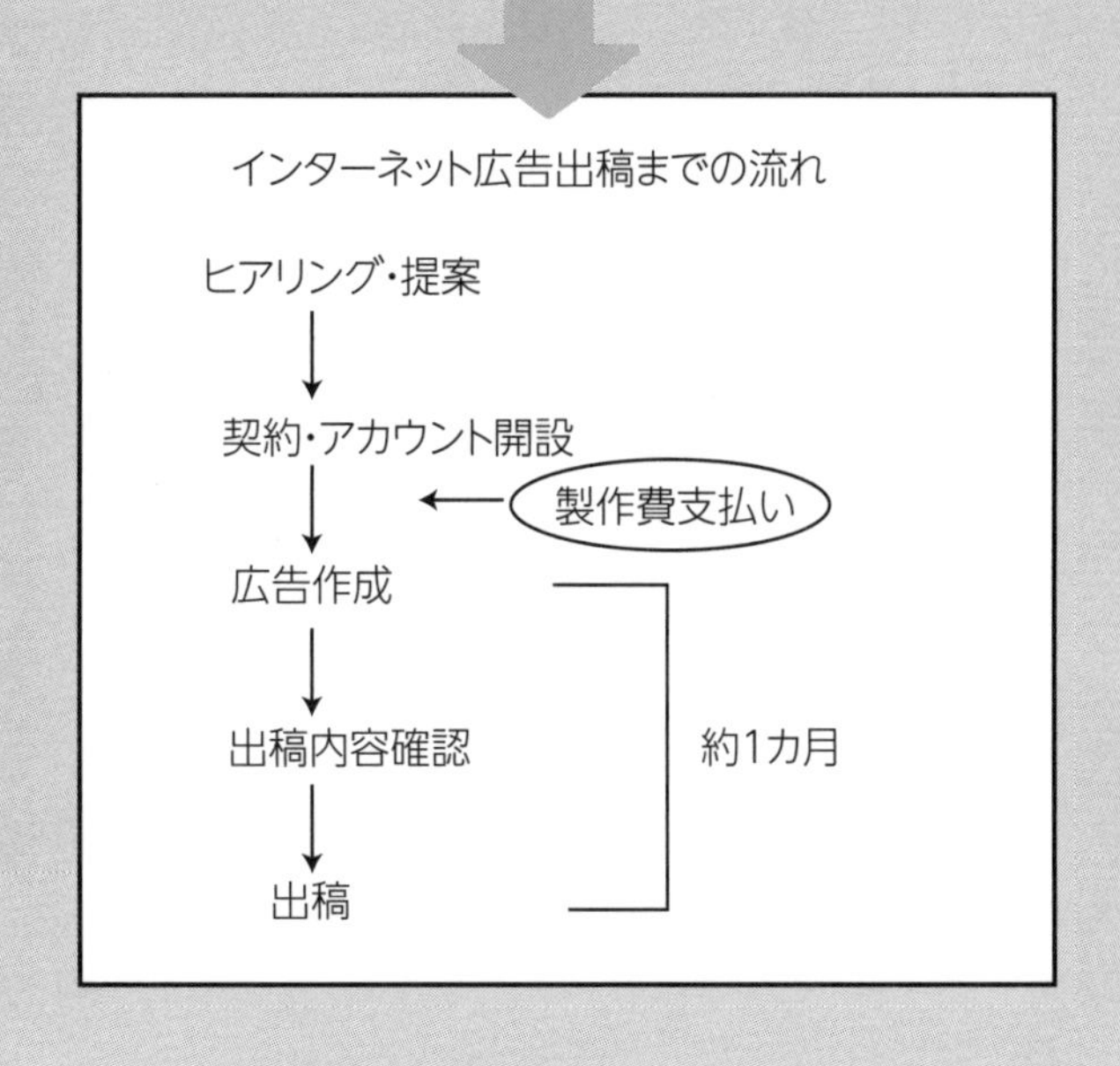

12

カラーペンで「大事な部分」を目立たせる

メモを書き終わったら、**「ここは大事だな」と思った部分にアンダーラインを引く、○をつける**などして目立たせておきましょう。赤などのカラーペンを使うとより効果的です。

簡単なことですが、これだけで重要部分の見落としが飛躍的に減るのです。

また、後で見返したときにどこが大事なのかが一発でわかるし、メモを書いたときの状況を思い出すきっかけになるはずです。

ノートに大量にメモした場合には、情報を探し出す「目印」にもなります。

特に会議メモのように長いメモは、**決定事項や重要部分に○などをつけて、見るべきポイントを明確にしておきましょう。**すると、最初から最後まで目を通さなくても、大事な部分がすぐにわかるので効率的です。

このポイントを目立たせる作業は、メモを書き終わったらすぐにしてしまいましょう。メモを書き終わった瞬間が、その内容について最も理解しているからです。

ポイントに印をつける

●重要部分を目立たせる

デジタルメモのメリット
かさばらない
検索できる
修正しやすい
コピーが簡単
★PCでも扱える

重要な部分、印象に残った部分はカラーペンで強調

「☆」などを書いてもよい

カラーペンに持ち替えるのが面倒なら、同じペンで印をつけるだけでもOK

カラーを使う人は、3色ボールペンがあると便利

●そのときの判断や気持ちを書き込む

新アプリに求められるもの
大人より子供向き ← 本当に?
操作が楽
○マニュアルなしでわかる
子供と楽しめる
動物キャラが人気
長時間プレイにならない
×複数でプレイしたい

自分が感じたこと、考えたことを簡単に書くと、メモしたときの状況を思い出しやすい。ただし情報と自分の考えの区別がつくように、カラーペンなどを使って書くとよい

いいと思ったものに○、そうでないものに×をつける

13 相手がメモしやすい話し方は「結論から」「手短に」

相手の話が要領を得なくて「何が言いたいんだろう」「で、結局何？」とイライラさせられたことはありませんか？

自分の伝えたいことを理解してもらい、要点をきちんとメモしてほしい——。そのためには、言いたいことが確実に伝わる話し方をしなければなりません。

まず本題に入る前には「昨日の会議の件ですが……」と、これから話す要件伝えましょう。するとと「ああ、会議の話ね」と相手も聞く構えができるのです。

そして肝心の報告や相談は、最初に「結論」を伝えます。

続いて「理由」や「経緯」を説明します。

最初に「コンペの結果は◎でした！」のように結論を言ってしまえば、最も伝えたい**「結論」を、確実に伝えることができる**のです。それから「価格が決め手になったそうです」のように、理由や経緯を説明します。

相手も結論を先に聞いてしまうと、話がどの方向に進んでいくのかを把握しながら

結論から簡潔に伝える

きのうは本社の山本部長と岡山課長と支社の社員が10人ほど集まりまして、いろいろな意見が出されたんですが、皆立場も違いなかなかまとまらず…(中略)…2時間以上話し合ったのですが当初からのABC案に加えてさらにD案が出されまして。でも結局C案でいこうかということに決まりました。

改革案については、昨日C案に決定しました。

理由・経過
……

経緯や理由を聞くことができるので、話の内容が理解しやすくなります。

「手短に話す」ことも大事です。

「話を聞いてもらいたい」「理解してもらいたい」気持ちが強いと、ついつい話が長くなってしまいます。でも**「話が長い」＝「重要でない話、関係ない話がごちゃまぜになっている」**ということです。確かに熱意は伝わりますが、情報が多くなりすぎると、どれが大事な情報なのかわからなくなってしまうのです。手短に話すほうが要点が伝わるし、説得力があります。

また大前提として、相手も忙しいし、余計な話は聞きたくないのです。

ですから、「手短に」「結論から話す」ことが、Win―Winになるわけです。

14 「メモ＋メール」で「言った」「言わない」を未然に防ごう

「言った」「言わない」のトラブルは、いったん起こるとやっかいです。

たとえあなたが正しくても、相手によっては折れざるを得ないこともあるでしょう。

ここでバトルを繰り広げてしまうと、必ず禍根を残します。

そもそもなぜトラブルが起きたのでしょう？　確認を怠り「口約束」で済ませたからではないでしょうか？　そうだとしたら、あなたにも責任の一端はあるのです。

ですから、もし上司や大事な顧客相手にトラブルが起きてしまったら「今後はよく確認するようにします。すみません」といったん鉾を収めましょう。そして、次回からは**「メモ」と「メール」の二段構え**で、決定事項等の確認をしてください。

●相手の目の前でメモを取る！

「言った」「言わない」を未然に防ぐのに、メモは一定の効果があります。

決定事項は「……ということですね？　念のため書いておきます」とメモして証拠を残します。**相手の目の前で内容を確認しながらメモするの**がポイントです。相手も適当なことが言いにくくなるからです。相手にもメモしてもらうとより安心です。

相手が単なる忘れっぽい人とか、あまり考えてないだけの人であれば、いざ「言った」「言わない」になったときにはメモを見せれば解決します。

●メールでの確認も忘れずに！

ただしメモだけでは不十分。必ず**「確認メール」をセット**にしてください。

「先ほど取り決めた責任者の選定ですが、私が決定するということでよろしいですね？」のように決定内容をメールで確認します。

それでも言いがかりをつけてきたり、自分の立場が危うくなるような深刻なケースでは「ボイスレコーダーで録音」という手もあります。しかし、これはあくまでも最終手段。むやみに相手に突きつけると、さらに事態が悪化しかねません。

この手のトラブルを起こす人は決まっていて、同じ人が繰り返すのが特徴です。トラブルメーカーとは直接話さず、最初からメールでのやりとりをメインにするとストレスがありません。相手が社内の人であっても同様です。

「言った」「言わない」のトラブルは仕事にはつきものです。疑心暗鬼になりすぎず、メモとメールで未然に防ぐよう心がけてください。

15 罫線やミシン目に注目する

メモ帳やノートを選ぶときは、**罫線の種類にも注目**してください。

「方眼タイプ」は文字だけでなく、図やイラストも書きやすい万能タイプです。

「横罫タイプ」は文字をメインで書いたり、チェックリストを書くのに向いています。

どちらも罫線が薄いものを選ぶと、書くときに邪魔になりません。

小さいメモ帳やノートの場合は、ページが切り離せるミシン目入りや、リングタイプなどの1枚1枚が切り取りやすいものがおすすめです。後でメモを誰かに渡したり、ノートに貼って保管するときに便利だからです。小型ノートやシステム手帳のリフィルのメモ用紙にも、ミシン目入りのものがあります。

大きいサイズのふせんを、メインのメモ用紙として使うこともできます（92ページ参照）。手帳とともに持ち歩いて、ふせんにメモ→メモを書いたふせんは手帳に貼って一時保管→取っておきたいメモは後でノートに貼る、という流れになります。

メモ用紙の種類

ページ罫線

●方眼、ドット、無地
□ 図やイラストも描きやすい
□ 縦でも横でも使える

●横罫
□ 箇条書きがしやすい
□ 罫線の薄いものがよい

ミシン目入り

□ 切り取りやすい
□ メモ帳、小型ノート、手帳のリフィルにもミシン目入りがある

ふせん

20XX.4.10
○○社の
クラウドサービス
便利とのこと
無料/30GB
要検討

□ 手帳に貼って一時保管
□ 大事なメモはノートに貼り替える

16

メモ帳・ノートは「綴じ」にも注目して選ぶ

メモ帳やノートの綴じ方には、大きく**「綴じ式」**と**「リング式」**があります。

リング式はリングで紙をまとめたもので、「ダブルリング」や1本のリングを螺旋状にした「スパイラルリング」といった種類があります。

使いやすいのは**「ダブルリング」式**。360度完全に開くので、**外出先で手に持って**書くことが多い人に向いています。デスクに開いて置いておいても勝手に閉じません。またページを切り取っても他のページに影響しません。ただしリング部分が、書くときや収納時に邪魔になることもあります。

綴じ式はよくある大学ノートのようなタイプで「無線綴じ」「中綴じ」があります。無線綴じは糸ではなく糊で綴じられたもの。コンパクトかつ安価で無難な選択ですが、**センター部分が開きにくいものは書きにくいので要チェック**です。

中綴じは中央が糸などで綴じられているタイプ。丈夫ですが、ページを切り取ると他のページも抜け落ちてしまう点はデメリットです。

綴じ方の特徴

リング式

MEMO

ダブルリング式

○
- □ 360度開く
- □ 手に持って書きやすい
- □ ページが切り取りやすい

×
- □ 書くときリングが手に当たる
- □ 収納時にリングがじゃまになる
- □ 背にインデックスがつけられない

綴じ式

無線綴じ

○
- □ フラットに開ける
- □ 背にインデックスがつけられる
- □ 開きがよくページが剥がれにくいものを選ぶ

×
- □ センター部分まで開きにくいもの、ページが剥がれやすいものに注意

○
- □ 安価
- □ 丈夫

×
- □ 1枚切り取ると他のページも抜け落ちる
- □ 勝手に閉じてしまう

17 どんどんメモがしたくなる「書きやすいペン」選び

サラサラ書けるペンだと書くのが楽しくなるし、たくさん書いても手が疲れません。**一般的にメモ向きなのは「ゲルインク」のボールペン。**書き味がよくて、速く乾くのでページが汚れません。ただしインクの減りが速いので要注意です。

「水性ペン」も書きやすさは○ですが、紙によっては裏移りやにじみがあります。「油性ペン」はすぐ乾き、にじみもありませんが、書き味が重く、インク玉ができやすいものもあります。耐久性があるので宛名書きや書類記入には最適なのですが、メモ用なら試し書きをしてから選んでください。

芯の太さは好みもありますが、大きな字でガンガンメモするなら0・5～0・7ミリなど太め、手帳などに小さい字を書くなら0・5ミリ以下の細いペンが適しています。

外出先で使うペンは、ペン尻をノックして芯を出し入れする**「ノック式」が基本。**左手に手帳を持ち、右手でペン先を出してすぐにメモできます。キャップを落とす心配もありません。**「クリップ付き」**だとメモ帳やポケットに引っ掛けることができます。

インクの特性

※商品により特性は異なります

	ゲルインク	水性	油性
書き味	軽い	軽い	やや重いもの有
書き出し	スムーズ	スムーズ	ややかすれるもの有
にじみ	なし	あり	なし
耐水性	あり	なし	あり
耐久性	あり	なし	あり

□「ノック式」が基本
□ メモには「ゲルインク」がおすすめ!
□ 持ち運び用には「クリップ付き」

人気が高いのは、消せるボールペン「フリクション」です。消せる安心感が大きいですが、高温にさらされると消えてしまうといったアクシデントもあるので要注意です。

シャープペンは消せるメリットがありますが、薄くて読みにくいのがデメリット。濃さはHB以上が書きやすく読みやすいのですが、ページが汚れたり、コピーを取ると文字がかすれることがあります。筆圧が強く芯が折れやすい人には、太めの芯がおすすめです。「クルトガ」はいつでも芯がとがっていて、引っ掛かりがなく、書きやすいため人気です。

18

メモ用紙とペンは「3秒」で書けるポジションに置く

メモ用紙とペンは、「書こう！」と思ったときにすぐ取り出せる場所に置いておくのが鉄則です。「どこだっけ……？」とモタついていると、せっかくのひらめきを忘れてしまったり、相手を待たせたりしてしまいます。

基本ルールは次のとおりです。

◎置き場所を決めておく。置き場所はすぐに取り出せるところ

◎使ったら必ず元の場所に戻す

デスク周りの場合、右利きの人なら電話は左、ペンと卓上メモはデスク右に置くと、ムダな動作なくメモを取れます。電話中でも右手が使え、メモ取りや書類探しができます。机上のメモ用紙にはカバーをせず、すぐに書けるようにしておきましょう。

ノートはすぐに取り出せるよう「机上のファイルボックスの一番左」のように、最も取り出しやすい場所に置いておきます。

筆記用具も、机の引き出しに入れる場合は取り出しやすいセンタートレー、サイド

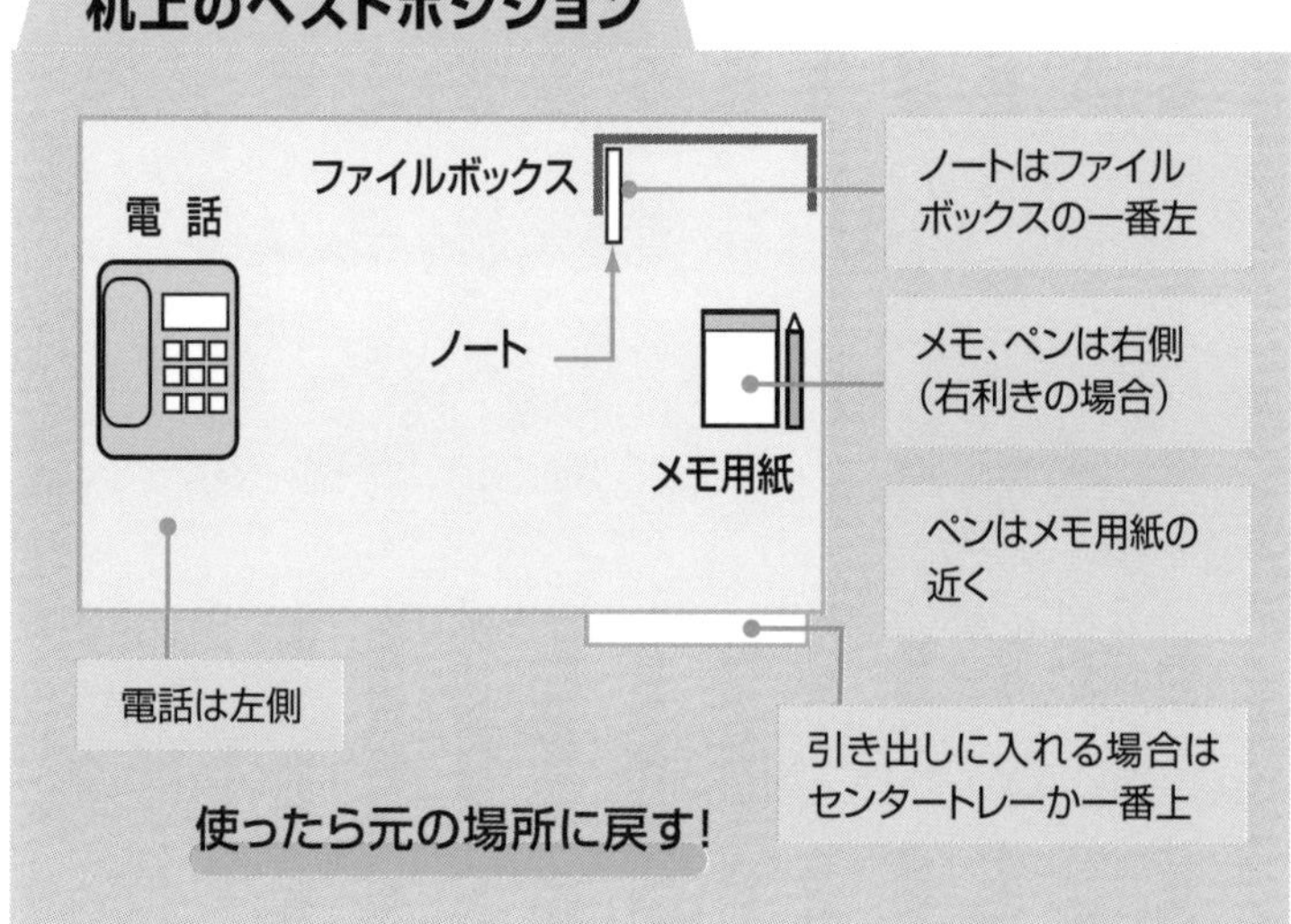

キャビネットの上段などと定位置を決めます。

外出の際も、メモ帳は「上着の内ポケット」「カバンの外ポケット」のように、入れる場所を必ず決めておきましょう。

ペンはクリップ付きを選び、手帳やノートに挟んでおくとすぐに書けます。クリップのバネに力があるものを選んでください。

ペンはなくなりやすいので、多めに用意しておきましょう。たとえばカバンに2本、上着ポケットに1本、会社のデスクに3本、といったように、予備を必ず用意します。突然のインク切れにもバッチリ対応できます。

コラム

ポケットサイズのメモ帳の選び方

常に持ち歩いて、ちょっとしたことを頻繁にメモするには、胸ポケットにすっぽり入り、片手で持って書きやすい小型のメモ帳が向いています。

ポケットサイズのメモ帳選びの際には、次の点に注目してみてください。

●裏表紙の厚さ

立ったまま片手に持って書くことが多いなら、裏表紙が厚手のものがふにゃふにゃせず書きやすいです。ポケットに入れっぱなしでも形が崩れません。

●縦開き、横開き

縦開きは片手で持って書きやすく、ページもすばやくめくれます。

横開きは、小型メモ帳でも見開き2ページ使ってまとまった書き込みができます。ただしリングタイプは書くときにリングがじゃまになります。

●リングタイプ

360度完全に開くダブルリングタイプは書きやすく、めくったときに紙がずれません。ポケットに入れるときや書くときにじゃまになりにくいソフトリングタイプもあります。

●耐水性

濡れるのが心配なら、カバーがプラスチックなどで耐水性のあるものが向きます。紙自体が耐水性を持つものもあります。

Chapter 2

情報をムダなく活かす！ かんたん「ノート術」

01

何でも自由にたくさん書ける！ノートは万能データベース

小さなメモ用紙やふせんは、情報を書きとめるのに不可欠です。

でも、書ける量は少ないし、小さいので行方不明になりやすい。一時的に情報を書きとめるにはいいけれど、長期保存には向きません。

大きなノートには何でも自由に書くことができます。

プロジェクトの全記録から、長い会議のメモ、じっくり練り上げたいアイデアまで、書きたいことを好きなだけ書くことができるのです。

ノートを横向きにして、図やイラストをバンバン描いてもかまいません。ふとした思いつきを、具体的な企画にまで発展させて詳しく書くこともできます。ただ情報を記録するだけでなく、**発想を広げたり、考えを深めるツール**にもなるのです。

情報を書くのではなく、貼りつけることもできます。仕事の資料、面白いと思った雑誌の切り抜き、写真などはノートに貼って保管しておけます。

また、紙切れのメモとは違い、ノートは簡単にはなくなりません。だから**情報をい**

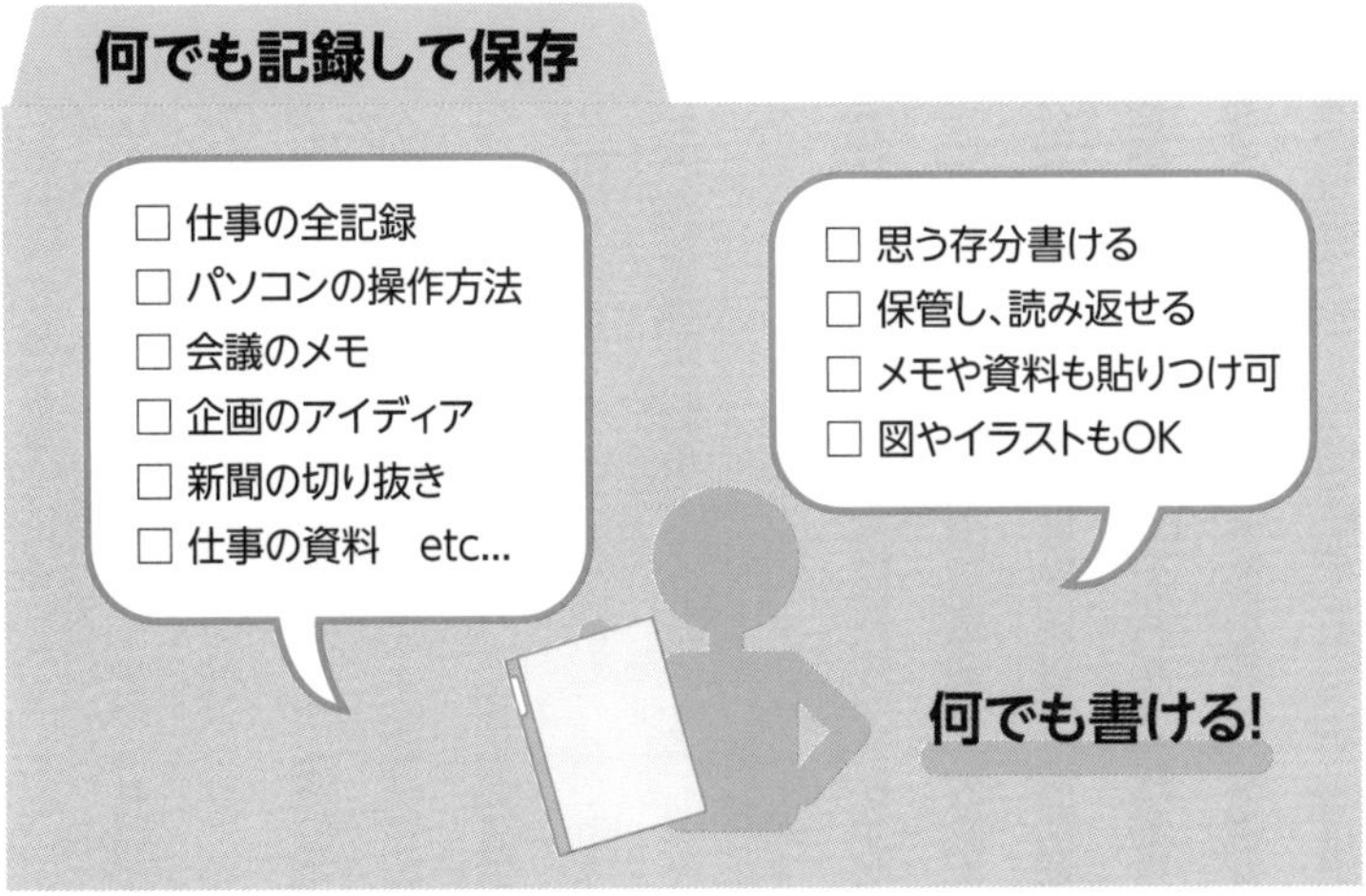

何でも記録して保存

- □ 仕事の全記録
- □ パソコンの操作方法
- □ 会議のメモ
- □ 企画のアイディア
- □ 新聞の切り抜き
- □ 仕事の資料　etc...

- □ 思う存分書ける
- □ 保管し、読み返せる
- □ メモや資料も貼りつけ可
- □ 図やイラストもOK

何でも書ける!

つまでも保管しておけるし、何度でも読み返すことができるのです。

いつもメモ帳を持ち歩き、情報を逃さずメモするのは基本です。

でも、**まとまった量の情報や、何度も読み返したい情報、大事な情報を記録・保管しておくためには、やはりノートが必要**なのです。

ノートと聞くと、「作文は苦手」「字が下手だから」と拒絶反応を示す人もいると思いますが、ノートは基本的に自分のために書くものです。字は読めればじゅうぶん。情報は文章でまとめるのではなく、箇条書きでＯＫです。

要は、正しい情報が記録されていればいいのです。難しく考えずに、まずはノートを広げて記録を残してみてください。

02
散らばったメモは「ノート」に集めよう

メモ帳、手帳、パソコン、頭の中と、情報はあちこちに散らばっています。それぞれの場所でストップさせたままだと、必要な情報を探し出すのも一苦労。紛失しても気づきません。これでは読み返すこともできないでしょう。

走り書きのメモの中にも、大事な情報はあるはずです。

そこで**後で読み返したいメモは、ノートへ移動させる習慣をつけましょう**。

ふせんやメモ用紙はノートに貼り替え、手帳にメモした情報は書き移します。紙の資料は、縮小コピーしたり折るなどして貼りつけてしまいます。

これで**バラバラだった情報がノートに集結**します。

情報をノートに集めておけば、必要になったときにはノートを開けば必ず見つかります。なくなることもありません。一覧性が高まるので、探して読み返すのも楽になります。ノートにメモを集めることで、**「情報を記録→読み返し→活用する」という流れ**ができあがるのです。

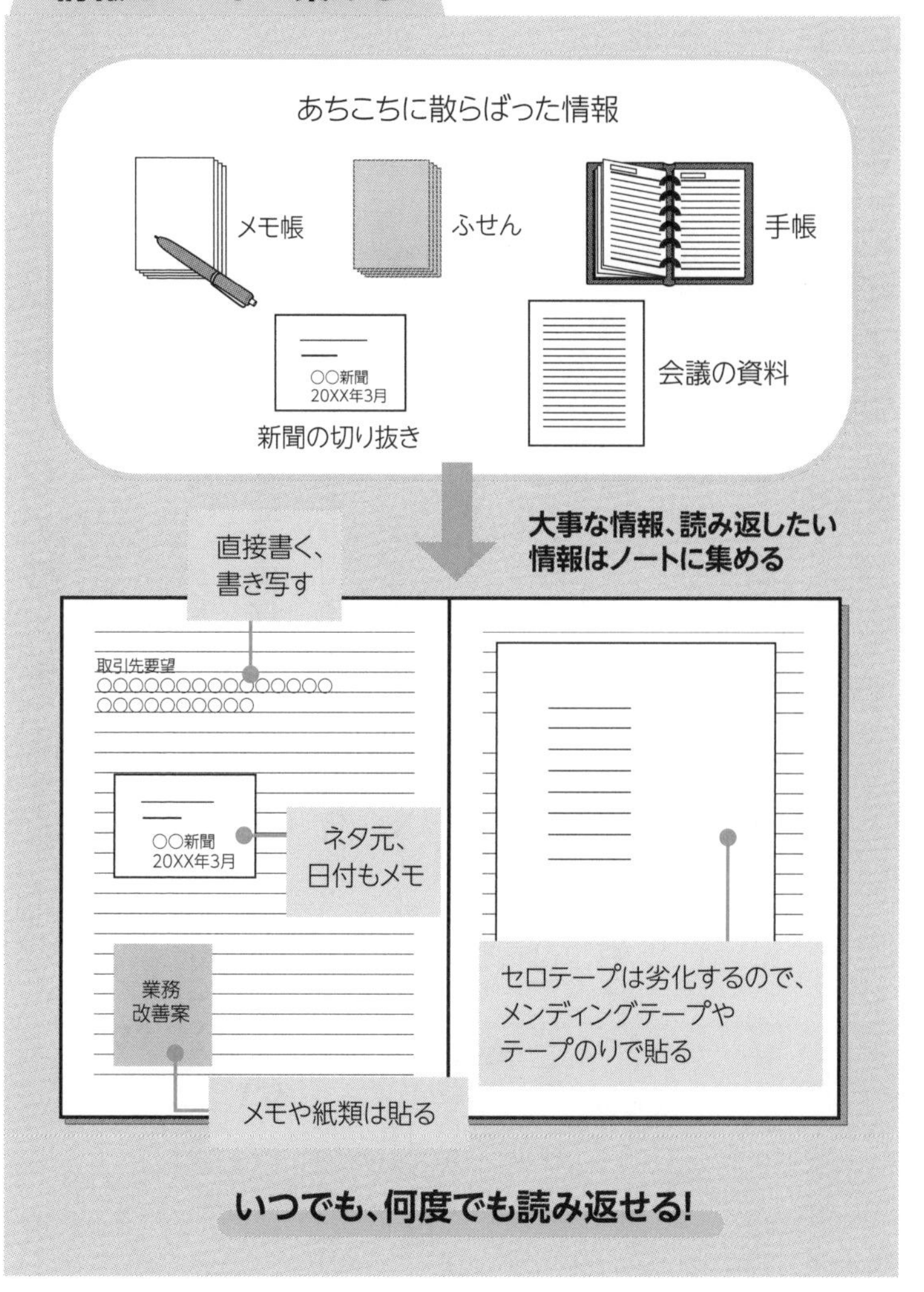
情報はノートへ集める
あちこちに散らばった情報
メモ帳
ふせん
手帳
○○新聞
20XX年3月
新聞の切り抜き
会議の資料
大事な情報、読み返したい
情報はノートに集める
直接書く、
書き写す
取引先要望
○○○○○○○○○○○○○○○○○
○○○○○○○○○○○
○○新聞
20XX年3月
ネタ元、
日付もメモ
業務
改善案
メモや紙類は貼る
セロテープは劣化するので、
メンディングテープや
テープのりで貼る
いつでも、何度でも読み返せる！

03

「PDCA」サイクルを回すため、ノートに仕事の記録を残そう

仕事は常に**「P（計画）」→「D（実行）」→「C（評価）」→「A（改善）」という「PDCA」サイクルを意識して**取り組みましょう。

まず仕事に取りかかる前には、じっくり「計画（Plan）」を立てます。行き当たりばったりはダメ。目標は何か、どんな結果を目指すのかもはっきりさせましょう。

そのうえでスケジュールを組み、次の「実行（Do）」に進みます。実行はスケジュールに沿って、ときには臨機応変に対応する必要があります。

仕事が片づいたら、次は「評価（Check）」です。計画どおりに進んだか、進行はどうだったかなどを冷静にチェック。トラブルがあった場合は、必ずその原因を明らかにします。うまくいった場合も、その理由を把握しておきましょう。

最後が「改善（Action）」です。問題の原因を明らかにしたら、今後どのような点を改めればいいのかという改善策を考えます。**大事なのは、今回の「改善」を必ず次の「計画」につなげること。**改善策を確実に実行することで、同じミスを繰り返さな

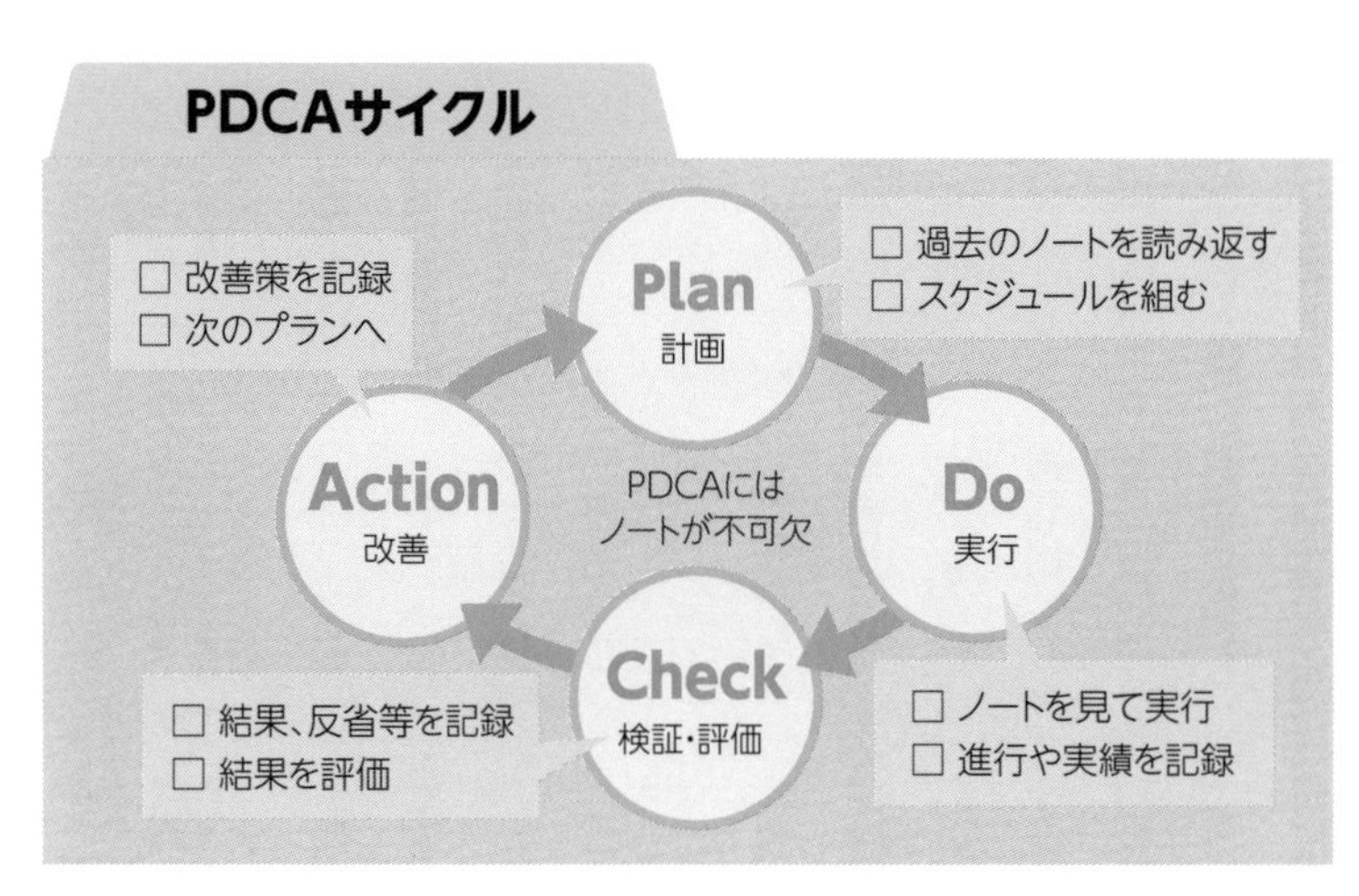

いようにするのです。

さて、このPDCAサイクルを回すためには、**ノートが欠かせません。**

手帳は書くスペースが限られるため、予定のみか、せいぜい実績を簡単に書くくらいしかできません。そこで**「評価」や「改善」の記録を、ノートに残す**ようにしてください。

そして新しい仕事に取りかかるときには、ノートに書かれた記録をよく読んで計画を立てます。

実行中は常に進行をメモ。終了したら全記録をノートにまとめ、記憶が確かなうちに反省点や改善点を記録。そして次の仕事に活かす――こうしてPDCAサイクルを回していくことで、ノウハウを蓄積し、次回は今回よりもよい結果が出せるようになるのです。

04

仕事ノートは「1冊から」始め、「時系列」で書いていこう

仕事のノートは「顧客」「アイデア」など細かく分類せず、**最初は1冊から始めましょう。**何冊もあると、「どれに書こう？」と悩んでしまうからです。

また無理矢理どれかに書き込むと、どこに書いたのかわからなくなってしまいます。

最初は1冊から始めて、「アイデアノートは分けたい」「プロジェクトAの記録は別ノートに」と感じたら、そのノートを作るといいでしょう。

情報はノートの最初から時系列でどんどん書いていきます。ノート内で「会議」「企画」のように分類して書く必要はありません。

情報が時系列で並んでいると、「あれはたしか総会の直後に書いた……」という記憶をたどって探し出せるのです。「どこに書こう？」と悩む必要もありません。

「1冊のノート」に「時系列で書く」からこそ、すぐに書く体勢に入れるし、書いた情報も探しやすくなるのです。

なおノートの最初の1枚は白紙にしておくと、後で「目次」を作ることができます。

1冊から始めよう

細かく分ける

顧客

アイデア

仕事の記録

プロジェクトA

プロジェクトAのアイデアはどこに…?

□ 分類できない情報がある

□ 書いた情報が探しにくい

1冊にまとめる

202X.10.1
~202X.6.10

□ 分類に悩まずサッと書ける

□ 情報が探しやすい

□ 表紙に日付を入れておく

2018.10.1

2018.10.5

2018.10.10

日付を入れて
時系列で書く

05

「余白」をとって「ゆったり」書く

文字がぎっしり書かれたノートは、とても読む気になりません。情報を探し出すのも一苦労。追加情報を書くスペースもありません。後で**読みやすい、情報を探しやすいノートにするには、できるだけ余白を持たせて書く**ことが大事です。たとえば次のような方法を試してみてください。

①「ライン」を引いて補足スペースを確保

図のようにあらかじめ縦に1本か2本のラインを引いて、後で情報を追加・修正するためのスペースを強制的に確保します。すると見た目もゆったりするし、補足のスペースもしっかりとれます。

右のスペースには追加・修正情報や、自分の考えを書いてもいいでしょう。情報のキーワードやポイントを書き出したり、不明な部分を書き出しておいて後で調べる、といった使い方もできます。書くことがなければそのままにしておけばよく、無理に

ラインで余白を作る

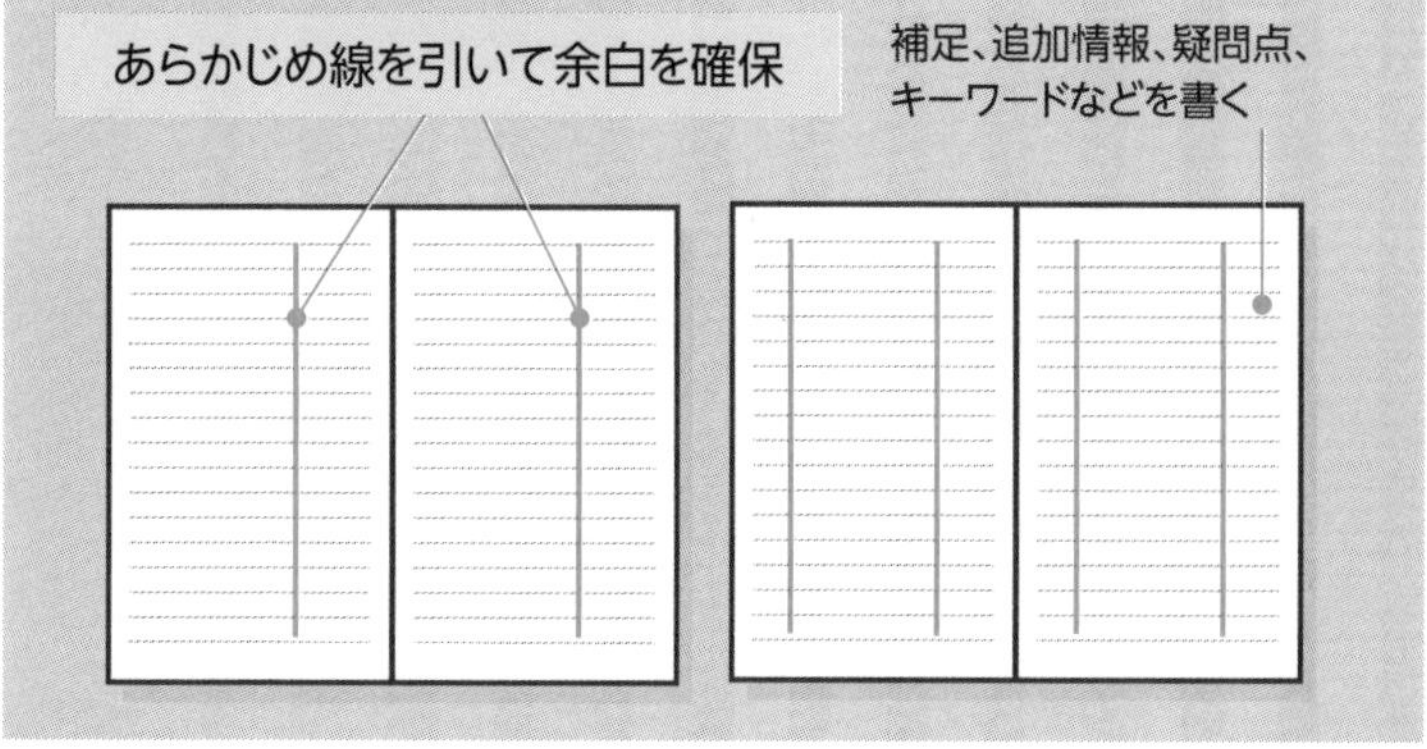

余白を埋める必要はありません。

②改行は多めにする

文字はページの左端から右端までびっしり書かず、多めに改行します。

また情報のまとまりごとに、必ず2~3行程度の空白行を入れるようにしましょう。

③1行おきに書く

ノートの罫線の幅が狭いときは、1行おきに書くとゆったり感が増します。

④トピックが変わったら改ページ

1つのトピックを書き終わったら、ページが余っていても改ページします。基本的に新しいトピックは、新しいページから書くようにします。

互いに無関係の情報を同じページにいくつも詰め込まないほうが、情報が探しやすいのです。

「ページがもったいない」と感じるなら、雑誌の切り抜きや映画のチケットなど、好きなものを貼ってみてはいかがでしょうか。

⑤見開き2ページを基本単位と考える

見開き2ページが基本と考え、**まとまった書き込みは左ページから書き始めます。**

たとえばミーティングの記録を書くときには、右ページからではなく、左ページから書くようにします。すると見開きで内容が一覧できます。

また人前でノートを書くときに、関係ない書き込みを読まれません。

⑥区切り線を引いてから別トピックに移る

トピックが変わったら改ページが基本ですが、どうしても「余白がもったいない」という場合は、情報を書き終わったら線を引くなどしてから、次のトピックを書くようにします。トピックが変わることをはっきりさせるのです。

⑦書き込みの上にメモを貼らない

ノートに小さいメモ用紙やふせん、紙の資料を貼るときは、ノートの書き込みにかぶせて貼らず、書き込みのない部分に貼ってください。メモをめくらなくてもすべての書き込みが読めるので、情報が探しやすくなります。

ゆったり書く工夫

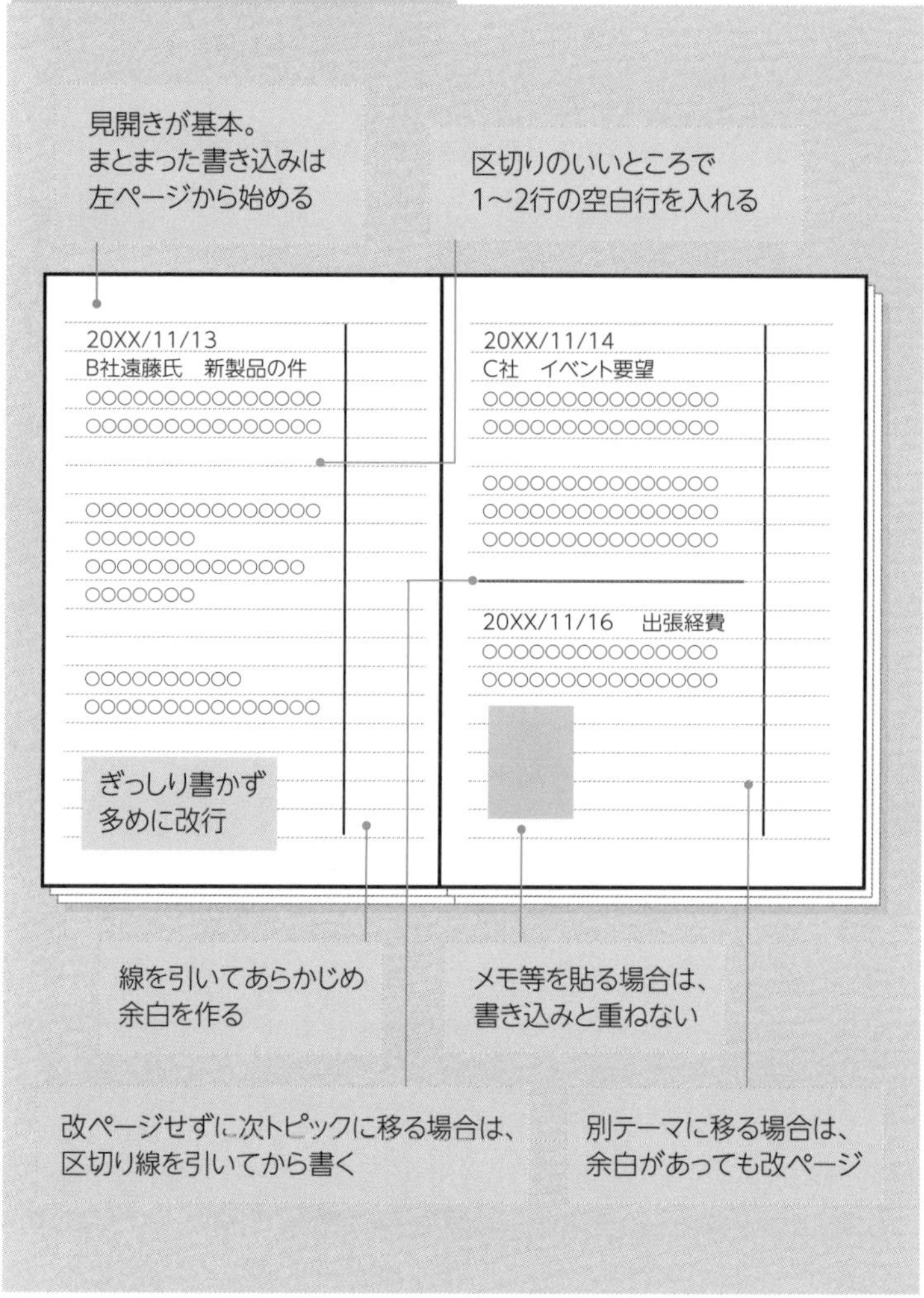

見開きが基本。
まとまった書き込みは
左ページから始める

区切りのいいところで
1〜2行の空白行を入れる

20XX/11/13
B社遠藤氏　新製品の件
○○○○○○○○○○○○○○○○
○○○○○○○○○○○○○○○○

○○○○○○○○○○○○○○○○
○○○○○○○
○○○○○○○○○○○○○○○
○○○○○○○

○○○○○○○○○○○
○○○○○○○○○○○○○○○○

ぎっしり書かず
多めに改行

20XX/11/14
C社　イベント要望
○○○○○○○○○○○○○○○○
○○○○○○○○○○○○○○○○

○○○○○○○○○○○○○○○○
○○○○○○○○○○○○○○○○
○○○○○○○○○○○○○○○○

20XX/11/16　出張経費
○○○○○○○○○○○○○○○○
○○○○○○○○○○○○○○○○

線を引いてあらかじめ
余白を作る

メモ等を貼る場合は、
書き込みと重ねない

改ページせずに次トピックに移る場合は、
区切り線を引いてから書く

別テーマに移る場合は、
余白があっても改ページ

06

「キーワード」だけでＯＫ！「箇条書き」でスッキリ書く

ノートだからといって、情報を文章でまとめる必要はありません。

メモと同様、**基本的に短い文やキーワードの箇条書きでじゅうぶん**です。会議や取材でメモするときはもちろん、走り書きのメモをノートにまとめ直すときもです。

箇条書きだと、**書くスピードは格段に上がります**。見た目もスッキリするので、とても読みやすくなります。余計な情報が省かれるので、ぱっと見ただけで内容を理解できるし、**必要な情報も探しやすく**なるはずです。

また、箇条書きにする段階で情報が整理されますから「あれ？　金額が書いてない！」といった**情報の漏れにも気づきやすく**なります。

つまり、ノートは箇条書きでもいい、というより箇条書きのほうがメリットが多いのです。文章トレーニングをしたい場合を除き、情報は箇条書きにしましょう。

「作文が大の苦手」という人も、箇条書きならノートを書くハードルは一気に下がるはずです。

箇条書きでわかりやすく

わかったような
わからないような…？

今日のA社佐々木氏との打ち合わせでは、新商品TPPについて説明を受けた。新商品TPPは20～30代女性をターゲットとしており、1000円で販売する予定。最初は関東一円での販売とのこと。初回の販売は2000個を予定している。商品の使用方法は、まず電源をオンにして、左のレバーを上に上げる。それから右のレバーを回して、最後に水を投入する。

箇条書きに変更

打ち合わせ　A社　佐々木氏
新商品TPPの概要説明

わかりやすい!

●TPP
・ターゲット: 20～30代女性
・販売価格: 1,000円
・初回販売: 2,000個
・販売地域: 関東一円

文頭に「・」「●」「□」などをつけて整理

●TPPの使い方
1) 電源オン
2) 左のレバーを上に
3) 右のレバーを回す
4) 水を投入

流れや順位を表す場合は(1)(2)(3)など番号をふる

07 まずは「結論」。「理由」「経過」はその後で

ビジネス文書では、**「結論を最初に書く」が基本ルール**です。

結論は情報の核心であり、最も伝えなければならない部分です。ですから、最初に持ってくることで、最短時間で確実に伝えてしまおうというわけです。

「理由」「経過」などの詳細は、結論に続けて書くようにします。

誰かに読んでもらう報告書やメールはもちろん、自分のためのノートにも、このルールを適用してみてください。たとえば仕事の顛末などを書くときは、「結論」を先に、続けて「理由」を書くようにします。

結論：A社との交渉は不成立。

理由：C社との契約手続きがすでに進んでいるため、当社との交渉の席に着く気はないとのこと。

「結論」も「理由」もダラダラ書かず、簡潔にまとめましょう。

理由の詳細が必要な場合は、この後に書くようにします。

結論→理由→経過

結　論	商品の価格は値上げすることになった。
理　由	原材料価格の高騰により、利益を上げるのが難しくなったため。
理由の詳細	大量仕入れによるコストダウンを検討したが、そもそも資材が悪天候のため品薄で、じゅうぶん確保できない。
改善策や提案	商品価格を仕入れ値に左右されないよう、自社で原材料を調達できる体制を整えたい。

理由の詳細：C社と契約に至った理由は、
　C社の提示した報酬額が当社より高かったから。また営業の対応がよかったとのこと……

「結論」→「理由」→「詳細」とパターン化すると、「何から書こう？」と構成から考える必要がなくり、書くのが楽になります。

さて、「結論」「理由」「詳細」に続けて、もう1つ書きたいことがあります。

今後どうするかという「提案」です。

提案：報酬額の相場をよく調べて提案する。
　顧客を満足させる営業術を学ぶ。

ノートに「結論」「理由」「詳細」を書いたら、**最後に自分なりの「提案」を書いて**、次の仕事につなげていってください。

08

「数字」「日時」は具体的に。あいまい表現は混乱のもと

ノートは自分が読むものですから、文はぎこちなくてもかまいません。ただし情報が正確に読み取れるよう、**あいまいな表現は避けましょう。**

たとえば「間違っていないとは思わない」というまわりくどい表現では、一瞬「？」と考えてしまいます。「間違っている」と書くほうがストレートに伝わります。

また**数字で表せる情報は、具体的に数字で**書いてください。

たとえば「資料作成にかなりの時間がかかった」では、具体的に何時間かかったのかわかりません。そこで「かなりの」ではなく、「3時間」とか「2日」のように数字を書くと、誰が読んでもわかります。日時も「明日」「来年」ではなく、「5日」「20XX年」のように具体的に書くと、いつのことなのかが明確です。

さらに**1文は短く**します。1つの文に主語は1つが理想です。「……だが」「……であり」などで文をどんどんつなげると、複雑になり意味がわかりにくくなります。

新聞の社説は内容はともかく、短文でまとめた文章としてはお手本になるでしょう。

あいまい表現はやめよう

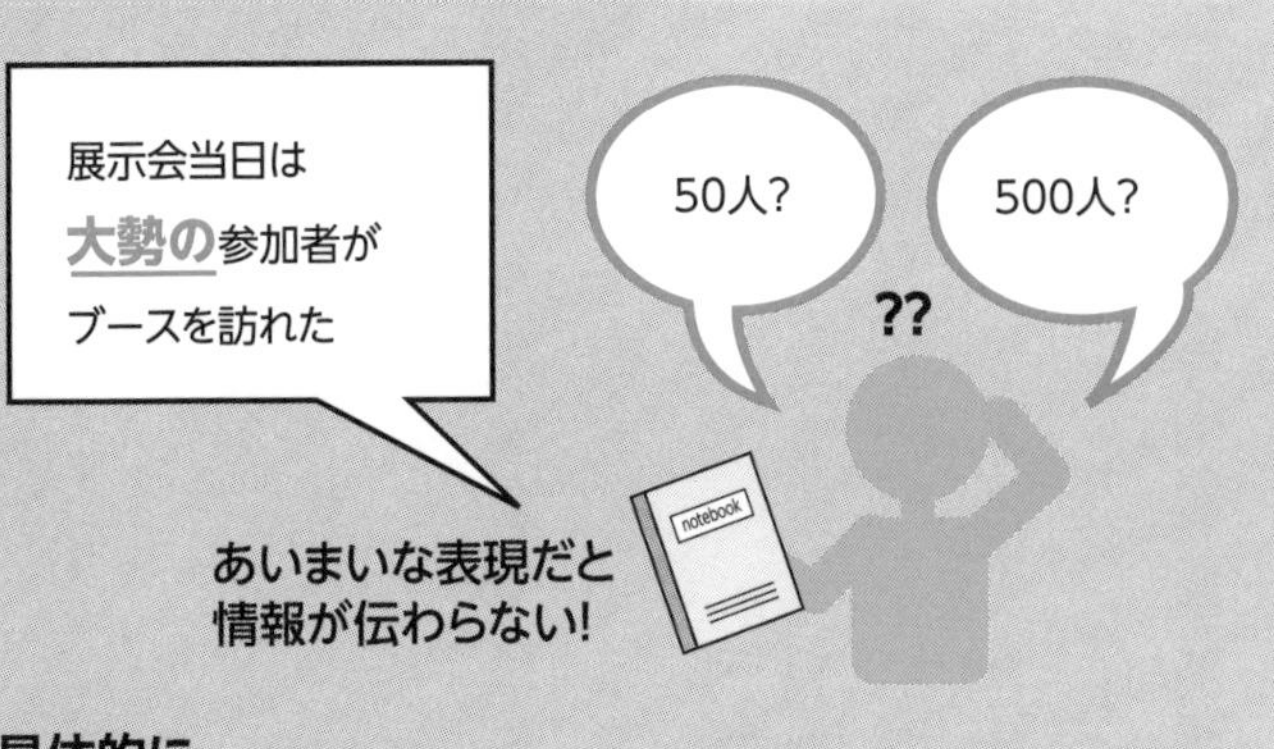

具体的に

A社のサービスはかなり高額だ。

A社のサービスは1時間3000円と高額だ。

短い文で

先日行われたセミナーは、初心者向けということだったが、内容は非常に専門的で、不安もあったが、他の参加者の意見も聞けてとても有意義だった。

8日のセミナーに参加。初心者向けだが、内容は非常に専門的。不安もあったが、他の参加者の意見も聞けた。有意義だった。

09

「日付」「見出し」をインデックス化。情報検索をかんたんにする

紙のノートはデジタルデータのように一発検索ができません。

そこで情報を速く探し出せるよう、簡単なインデックスが必要になります。

まず**「日付」は必須**です。

情報は時系列で書かれているので、日付があれば記憶をたどったり、スケジュール帳と照らし合わせたりして、だいたいの情報を探し出すことができます。２０XX・10・15（水）とか２０XX／７／10のように形式をそろえて書くと見やすくなります。

記事には**「タイトル（見出し）」も必要**です。簡単でかまいませんが、「5月企画会議　夏のイベント」のように検索ワードとなる語を含めて具体的に書きます。

「日付」「タイトル」はともにページの同じ位置に書くと、目線をあちこちに移動させずに探せます。

本文中のキーワードや重要部分は、カラーペンでアンダーラインを引く、囲う、などして目立たせましょう。ぱっと見ただけで重要部分が目に入るので効果的です。

インデックスをつけよう

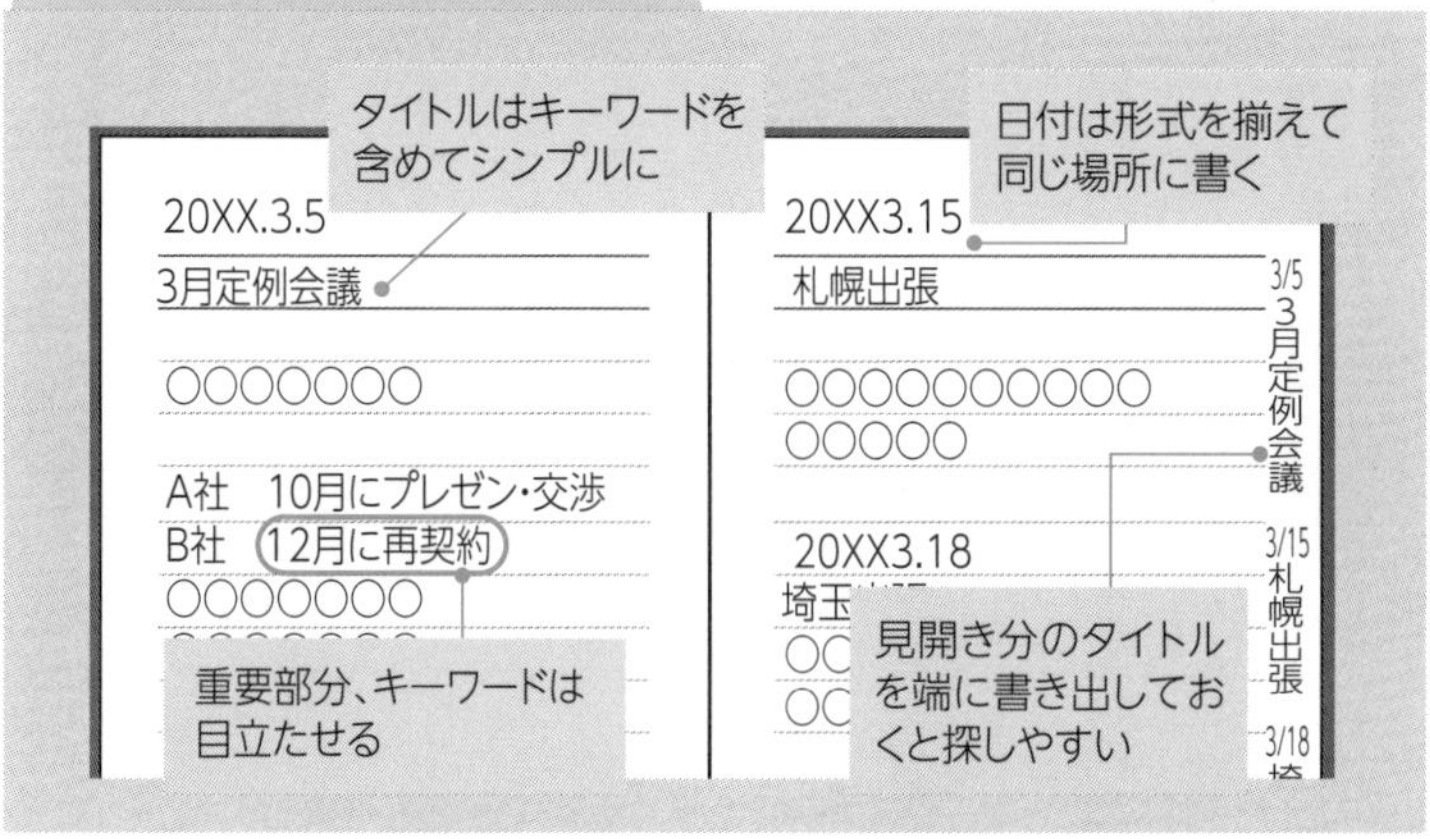

そして、ノートを1冊書き終わったら、表紙には「20XX・12・10〜20XX・3・1」のように、**いつからいつまでの情報が記録されているのかを明記**しておきましょう。

●ページの右端をインデックスにする

ページ右端に、**「日付」や「見出し」を書き出して、インデックスにする**方法もあります。1ページに3〜4個の見出しが書き込めます。

この方法だと見開きに複数の記事があってもそれぞれにインデックスがつけられるので、改ページを頻繁にしなくても済みます。

左ページの情報の見出しも右ページ端に書くようにすると、右端だけを見て情報を探し出すことができます。

10 情報を「追加」「修正」してノートを充実させよう

いったん書いた情報に、後から追加・修正が生じることはよくあります。こんなときは**躊躇せず、どんどん情報を書き足して**ください。あらかじめ余白をとっておけば、じゅうぶん書き込みができるはずです。

ただし**追加・修正部分は、元とは違うペンを使って書く**ようにしてください。追加・修正したことが一目でわかるようにするためです。

たとえば黒鉛筆で書いた情報を修正する場合、修正部分はボールペン、青いペンなどを使います。特に重要な追加情報や変更は、赤ペンなどのカラーペンで書いたり囲ったりして目立たせておきましょう。

修正前の情報は、完全に塗りつぶしたり消しゴムで消したりせずに、二重線や×で消しておきましょう。後で修正前の情報を参照できます。

修正が多すぎてゴチャゴチャしてきたら、情報を整理して新しいページに書き直したり、パソコンでまとめ直してプリントして貼るとスッキリします。

情報修正の方法

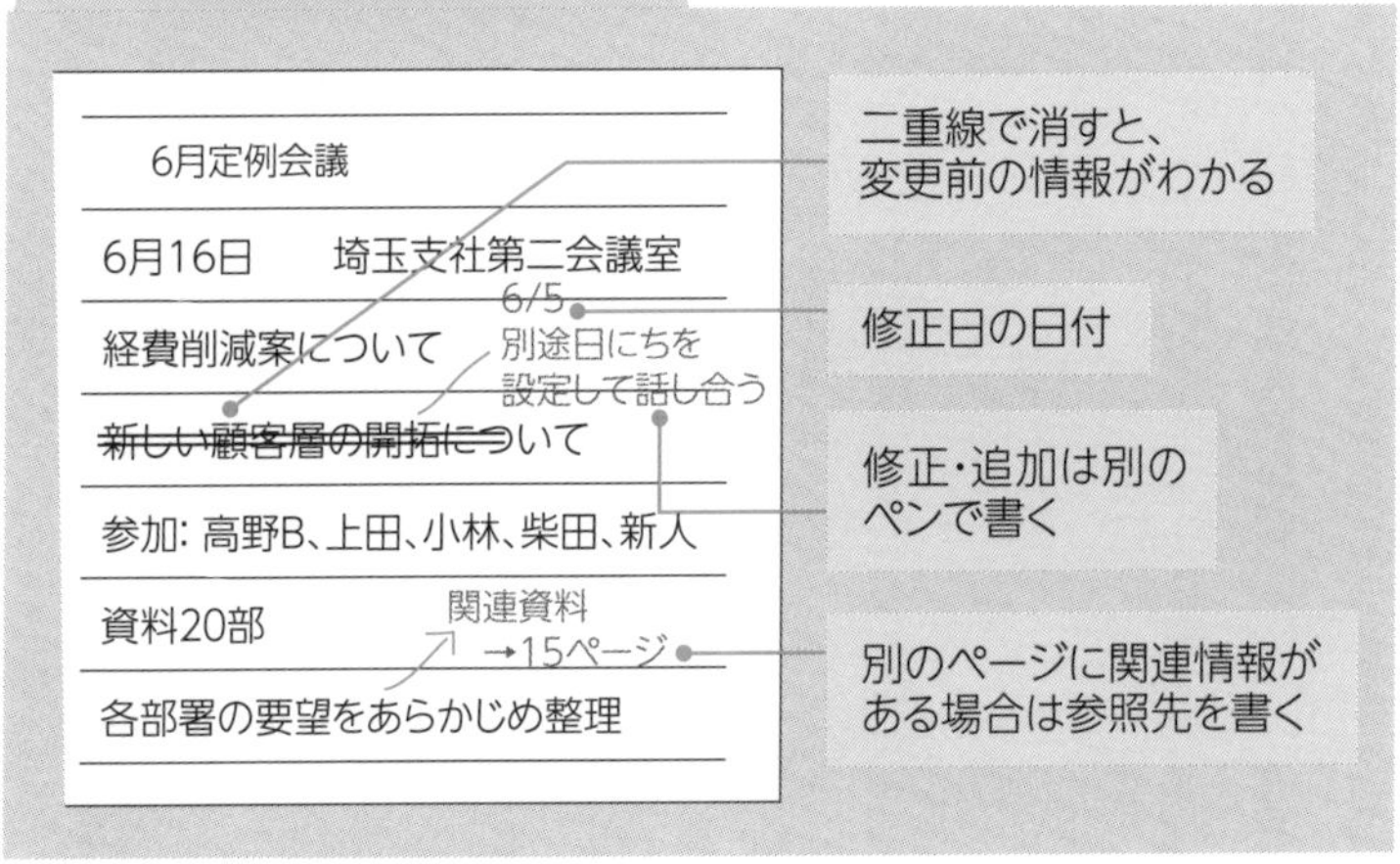

6月定例会議
6月16日　埼玉支社第二会議室
経費削減案について
~~新しい顧客層の開拓に~~ついて
6/5
別途日にちを
設定して話し合う
参加: 高野B、上田、小林、柴田、新人
資料20部
関連資料
→15ページ
各部署の要望をあらかじめ整理

二重線で消すと、変更前の情報がわかる
修正日の日付
修正・追加は別のペンで書く
別のページに関連情報がある場合は参照先を書く

別ページに追加・修正や関連情報を書く場合は、古い情報に「変更あり。→○ページ」のように書いておくと、追加や変更を見落とすことがなくなります。

このためには、ノートにページ番号をふっておく必要があります。ページ番号は情報を書いたときについでに書いておくと楽です。

せっかくページ番号をふったのなら、**ノートの最初に簡単な「目次」を作る**のもいいでしょう。全項目の目次を作らなくても、大事な項目だけ書いておけばＯＫです。

目次を作成するためには、ノートの最初１枚を白紙にして、２枚目あたりから書き始めるといいでしょう。

11

見返したい「書類」はノートに貼ってしまおう

後で読み返す必要のある書類は、クリアファイル等に入れて保存するのではなく、ノートに貼っておくという手もあります。必要な部分のみ切り取って貼ってもいいし、そのまま貼っても、縮小コピーして貼ってもかまいません。

そうすれば、書類の存在を忘れずに、確実に読み返すことができるようになります。書類の山から探し出す必要もありません。

また、**書類に関する情報がノートに書かれているときは、その書類もノートに貼っていっしょに保存しておく**と便利です。たとえばミーティングで資料が配られたら、左ページに資料を貼り、右ページにメモする、という感じです。貼っておけば資料がなくならないし、いつでもメモと併せて見ることができるのです。

パソコン内やネット上にあるファイルや情報も、繰り返し見るものはプリントして貼ってしまうと実は便利です。プリントの手間はかかりますが、いちいちパソコンを立ち上げたり、検索したりする必要がなくなります。また、貼ってしまえば「見える

ノートに書類を貼る

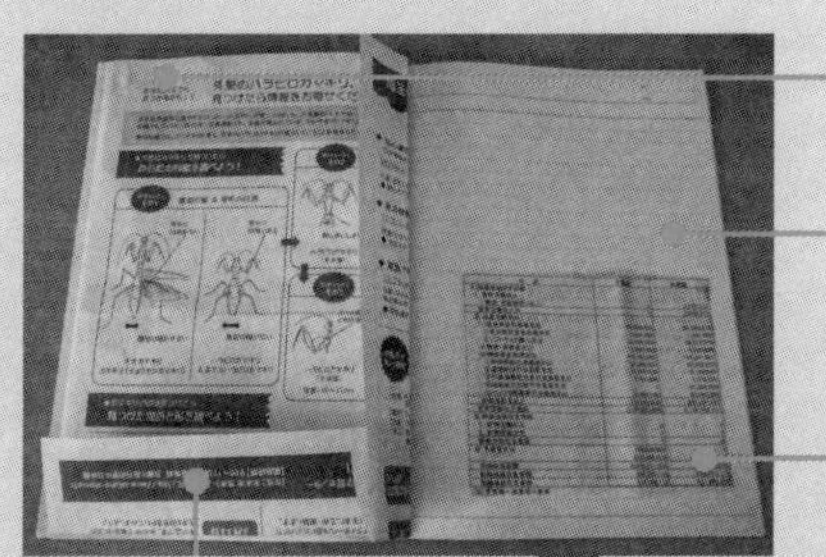

化」するので、忘れることもありません。

データよりもプリントのほうがじっくり読めるし、アンダーラインを引くなど自分なりの編集もできるようになります。ノートを見ながらパソコンで作業することも可能です。

B5ノートにA4書類をそのまま貼るときは、上だけ「テープ糊」で貼って、下と横は折り込んでおくといいでしょう。糊づけは上2箇所程度にすると、じゃまになったら取り外すことができます。テープ糊を使うときれいに貼れ、乾かす必要もありません。

最近はB5プリントを切らずに貼れる「大きめB5ノート」が販売されています。ページの四隅に印がついているので、位置合わせも楽です。

12 「大きなB5」はデスク向き、「小さなA5」は持ち歩きにぴったり

●ノートのサイズ

ノートを選ぶときは「どれくらい書くのか」「デスクで書くのか・常に持ち歩くのか」を考えて、まずは大きさを決めましょう。

デスクで使うことが多い人は、B5サイズの大学ノートが無難です。たっぷり書き込みができ、ふせんやメモ用紙を貼るにもじゅうぶんな大きさ。机上や棚のファイルボックスにも収納しやすいサイズです。ただしA4の書類を貼るときは、縮小コピーするか、折ったり横にしたりする必要があります。

A5はB5より一回り小さく、常にノートを持ち歩き、ガンガン書く人におすすめです。小ぶりながら書き込みもじゅうぶんにできます。開いてコピーするとA4サイズになります。ただし書類を貼るには小さいので、書き込みメインでの使用向きです。

A4はB5よりも大きいサイズ。持ち歩くというより、デスクで使用する人向きです。書類やふせん、メモ用紙をどんどん貼るのに適しています。ただし、直接書き込

ノートのサイズと特徴

A4 (210 × 297 mm)
- □ かなり大き目
- □ A4の資料が貼れる
- □ 基本デスクで書く人向き
- □ 資料をたくさん貼りたい人向き

A5 (148 × 210 mm)
- □ 小ぶりで携帯向き
- □ 書き込みもじゅうぶんできる
- □ 開くとA4サイズになる

A6 (105 × 148 mm)
- □ コンパクトな文庫サイズ
- □ 持ち運び便利で携帯向き

B5 (182 × 257 mm)
- □ 一般的なノートサイズ
- □ たっぷり書き込める
- □ 基本デスクで書く人向き
- □ メモ用紙やふせんも貼れる

A7 (74 × 105mm)
- □ ポケットに入るミニサイズ
- □ 書き込める量が少ない
- □ 外出先でのメモ帳向き

むことがメインであれば、やや大きすぎる感もあります。

●綴じの種類・表紙の硬さ

一般的な大学ノートは綴じタイプですが、リングタイプはページが勝手に閉じないのがメリットです。手に持って書く用には表紙の硬いものを選びましょう。リング部分にペンを収納できるものもあります。

●ノートの厚さ

とにかくたくさん書く人、頻繁にノートを変えたくない人には、厚いノートがおすすめ。

薄いノートは「書き終わった！」という達成感を早く味わえ、新しいノートで気分転換できます。どちらがいいのかわからない人は、薄いノートから始めてみるといいかもしれません。

13 「罫線の種類」はノート選びの重要ポイント

ノートには「横罫」以外に「方眼罫」「ドット入り罫線」「白無地」といった種類があるので、自分の使い方や好みに合ったものを選んでください。

文字をメインに書く人は、「横罫タイプ」が無難です。ただし罫線の間隔が広いもの、狭いものがあるので要確認です。

字の小さい人は、あえて幅の広いものを選ぶとゆったり書くことができます。

一方、**字の大きい人は、幅の狭いものに1行おきに書く**と文字がギュウギュウにな りません。どちらにしても余白を持たせて書くと、読みやすくなります。

「方眼タイプ」は44ページでも紹介しましたが、文字だけではなく**図も描きやすい**のが特長です。フリーハンドでも、マス目に沿ってきれいに図が描けます。ノートを横にして描いてもかまいません。また、文字をどこから書き始めても、文頭をそろえて書くことができます。メモや資料を貼るときは、マス目に沿ってきれいに貼ることができます。方眼の大きさ違いで5ミリ、7ミリといった種類があります。

罫線の種類

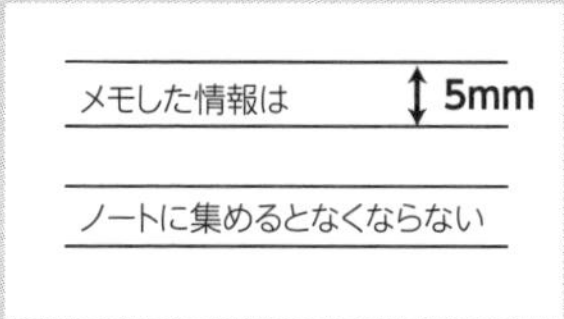

メモした情報は ↕5mm ノートに集めるとなくならない	**5mm幅(C罫)** ☐ 幅が狭いので、1行おき書くと読みやすい ☐ 5mmとキリがいいので、表やグラフが描きやすい
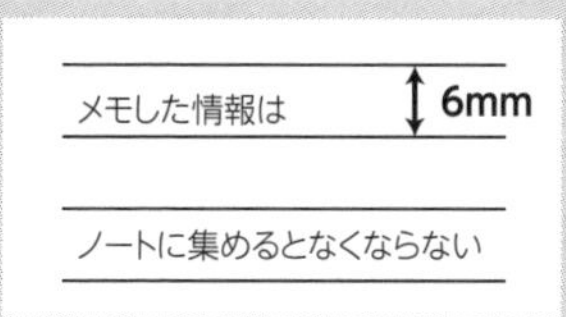 メモした情報は ↕6mm ノートに集めるとなくならない	**6mm幅(B罫)** ☐ スタンダード幅 ☐ 字が大きい人は1行おきで書くのがベター
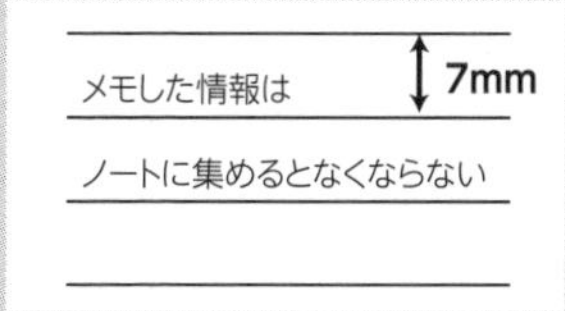 メモした情報は ↕7mm ノートに集めるとなくならない	**7mm幅〜(A罫)** ☐ 幅が広い ☐ 小さい字なら1行おきに書かなくても窮屈感がない

方眼罫 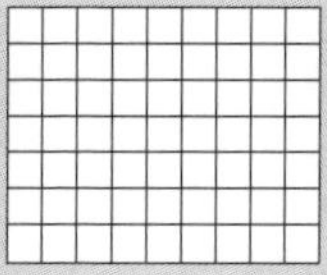
- ・図やグラフがフリーハンドで書ける
- ・文頭を揃えて書ける
- ・縦にしても横にしてもOK
- ・資料をマス目に沿ってきれいに貼れる

ドット入り罫線 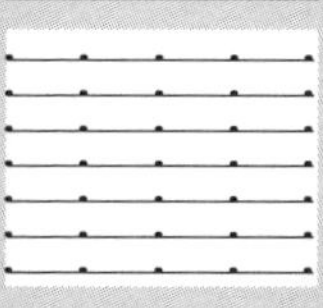
- ・文字、図どちらも書きやすい
- ・文頭を揃えて書ける
- ・図やグラフがフリーハンドで書ける

白無地 
- ・フリーダム
- ・図やイラスト自由に描ける
- ・自由すぎて文字は若干書きにくい

コラム

マスキングテープは便利なメモツール

「マスキングテープ」はちょっとしたメモにぴったりです。貼って剥がせる紙のテープで、幅や色柄が豊富。好きな長さで切ったり、手でちぎることができます。ふせん感覚で使えますが、ぴったりつくので、ふせんのように剥がれ落ちる心配もありません。

クリアファイルに分類を書いて貼る。不要になったら剥がせる

操作方法やショートカットを書いてパソコンに貼る

手帳やノートのページ端に貼って、インデックスに

するべきことを書いて、スマホに貼っておく

Chapter 3

スケジューリングを極めよう!
段取り力が上がる「手帳」術

01 予定は「すぐに」「すべて」書き、こまめにチェック！

スマホが全盛の今ですが、手帳は一覧性の高さや、どこでも開ける安心感、記入の自由さもあって、スケジュール管理には欠かせないツールです。

手帳を使いこなすためには、**新しい手帳を購入したら、決まっている予定をすべて記入**することから始めましょう。半年先、1年先の予定も書いてしまいます。会社の行事、家族の予定などもすべて書き込みます。

その後、新しい仕事がメールで、電話で、伝言でと、さまざまなルートで入ってくるでしょう。これらも**すぐに、すべて書き込みましょう。**

手帳をある程度書き込みで埋めてしまうことで、「こまめにチェックしよう」「どんどん書いていこう」というモチベーションを高めるのです。

手帳への記入は面倒ですが、いったん書き込んでしまえば、あとは記入したとおりに仕事を進めていくだけです。

大事なのは、手帳を頻繁に読み返すこと。「記入」→「読み返す」が基本です。

大きな仕事は分解して書く

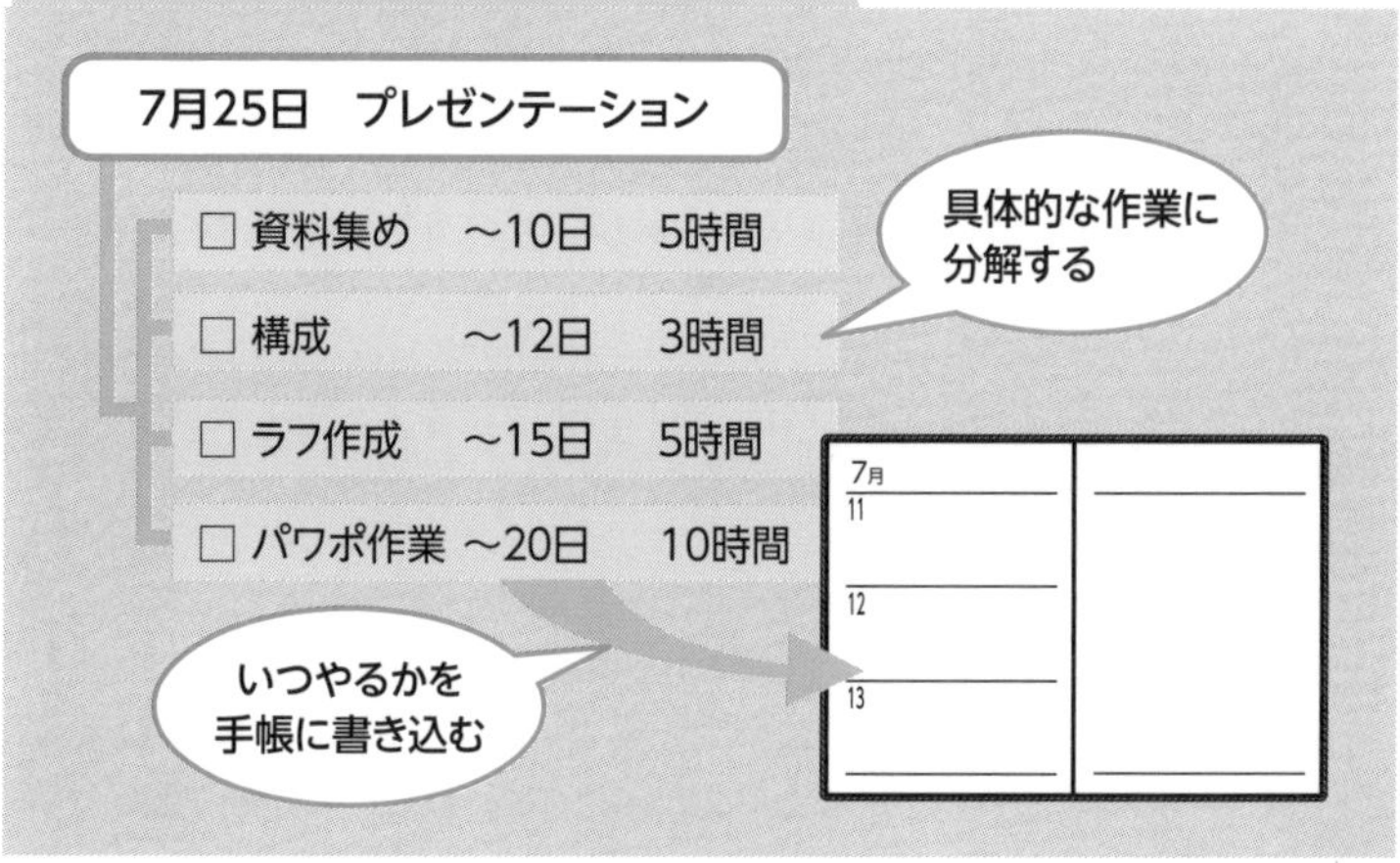

●仕事を分解して記入する

書き込んだ予定の中には、作業内容が漠然としていたり、重要で大きな仕事も多いと思います。これらは**細かい作業に分解して、記入し直しましょう。**

たとえば「プレゼン」というというざっくりした予定は「資料集め」「ラフ作成」「スライド作成」といった作業に分解します。そしてそれぞれをいつ、何時間かけてやるのかを考えて、スケジュール帳に書き込んでいきます。

また「会議」のような**予定が入ったら、それに向けてすべきことを考えましょう。**「会議室の予約」「資料の作成」「関係者への連絡」など、やるべき作業を書き出して、それぞれいつやるのかを手帳に記入します。

02
段取り力が上がる！「スケジュール欄」の書き方

手帳の書き込みスペースが少ない場合は、「定例会議＝定」のように**略語・記号**を使いましょう（32、184ページ参照）。給料日などの定期的な予定には、手帳用ミニシールも便利です。混乱しないよう、略語・記号は同じものを使い続けてください。

ただし**スペースがじゅうぶんにあるときは、略さずに詳しく書く**ほうが、見てすぐにわかります。特にずっと先の予定は自分でも忘れてしまうので、「これ何だっけ？」とならないように詳しく書いておくと、思い出す手間が省けます。

予定がたくさんあるときは、**大事な予定は赤ペンで書いたり囲ったりして目立たせる**と、見落としが減ります。「重要な用件＝赤」「急ぎの用件＝青」「プライベート＝緑」のように色分けする方法もありますが、色は2～3色が限度。多すぎると大事な用件が目立たなくなるし、面倒になって続きません。

仕事とプライベートを同じスケジュール欄に記入する場合、「プライベートは下に書く」「プライベートは別の色で書く」などで混乱しないようにしてください。

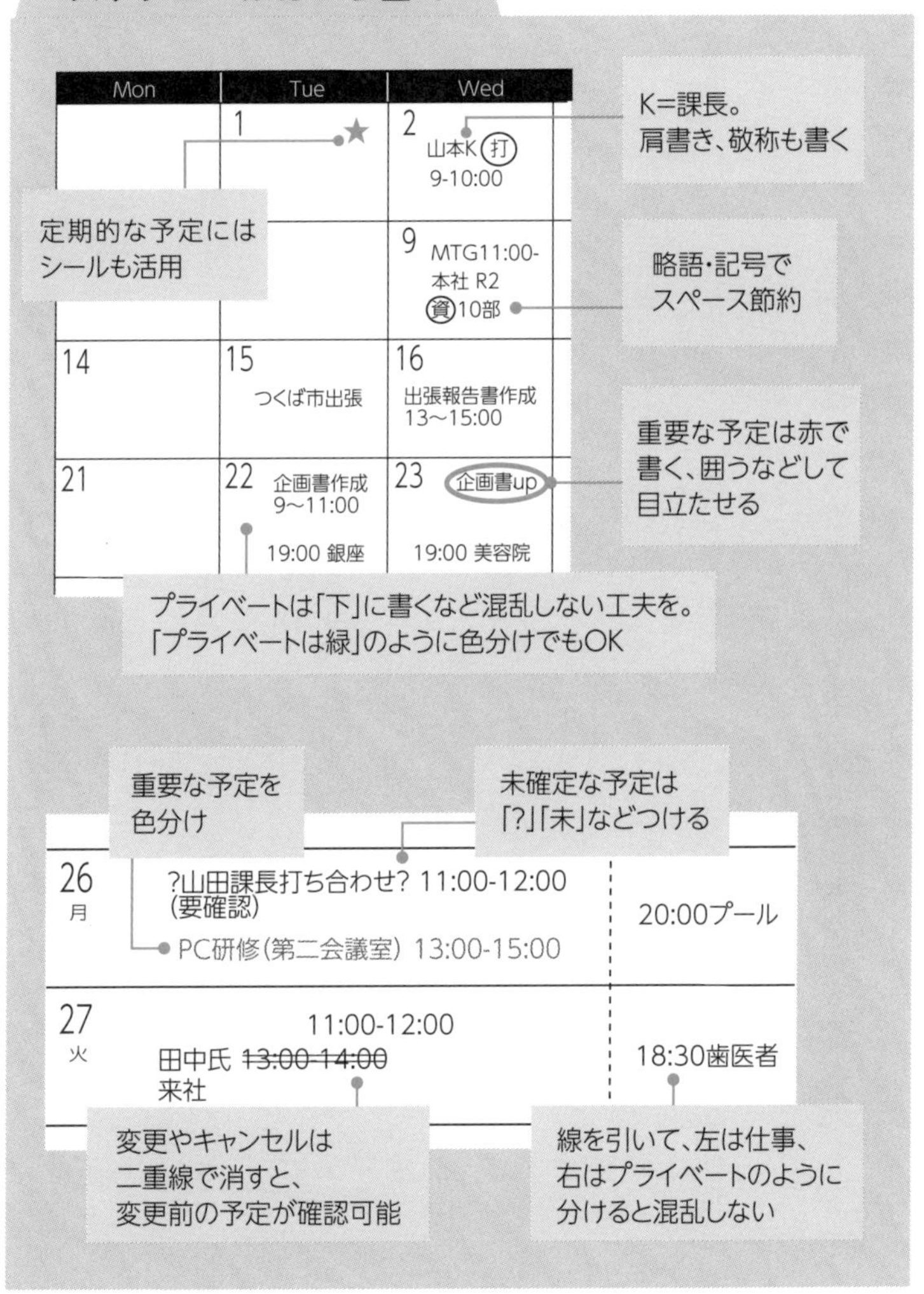
スケジュールはこう書く
Mon
Tue
Wed
1
2
山本K 打
9-10:00
K=課長。
肩書き、敬称も書く
定期的な予定には
シールも活用
9
MTG11:00-
本社 R2
資10部
略語・記号で
スペース節約
14
15
つくば市出張
16
出張報告書作成
13〜15:00
重要な予定は赤で
書く、囲うなどして
目立たせる
21
22
企画書作成
9〜11:00
19:00 銀座
23
企画書up
19:00 美容院
プライベートは「下」に書くなど混乱しない工夫を。
「プライベートは緑」のように色分けでもOK
重要な予定を
色分け
未確定な予定は
「?」「未」などつける
26
月
?山田課長打ち合わせ? 11:00-12:00
(要確認)
PC研修(第二会議室) 13:00-15:00
20:00プール
27
火
11:00-12:00
田中氏 13:00-14:00
来社
18:30歯医者
変更やキャンセルは
二重線で消すと、
変更前の予定が確認可能
線を引いて、左は仕事、
右はプライベートのように
分けると混乱しない

03

「いつから→いつまで」「1人の仕事」も記入して空き時間を把握する

予定は開始日時だけでなく「何日まで」「何時まで」を書く習慣をつけましょう。たとえば「打ち合わせ　9～10時」のように終了予定時刻も書いて、きっちり時間を確保します。手帳には「→」などを使い、範囲がわかるように記入しましょう。するといつなら開いているのかが一目瞭然。別の予定が入れやすくなります。終了予定日時を決めることで、ダラダラ進行を防ぐ効果も期待できます。

資料作成のような「1人でする仕事」も「何を」「何時から何時まで」するかを考えて記入してください。スケジュール欄を空白にしていると、「やることがない」かのように錯覚してしまいます。

また1人でする仕事はつい後回しにしたり、のんびり取り組みがち。作業時間を見積もってスケジュールに書き込むことで、やる気スイッチが入ります。

外出の予定があるときは、「移動時間」も書き込んでおきましょう。遅刻しないように出られるし、移動中に何をするかも計画できます。

空き時間を明確に

- 終了日時を明確にして、時間を確保
- 空き時間を把握しやすい書き方をする

04

「ガントチャート」で複数の仕事もスッキリ管理

「ガントチャート」とは、プロジェクトなどの工程管理に使われる横長の表です。**複数の案件を、長期間にわたり、ひと続きのラインで管理**することができます。

通常のマンスリータイプも見開きで1カ月分を把握できますが、週をまたぐとぶつ切りになるし、複数案件を同時に管理するには力不足。一方、ガントチャートを使えば、複数の案件の進捗を、個別に、切れ目なく把握することができます。

ガントチャートは、仕事に、プライベートにと、いろいろな使い方ができます。**1人で複数の案件を同時に進めるときには、縦に案件をずらっと書き、横に個々のスケジュールを書いていきます。**

複数の顧客を抱えている人は、**顧客ごとの進捗を書く**ようにしてもいいでしょう。チームで作業する場合には、**メンバーごとのスケジュールを書いて管理**します。

仕事以外では、語学や資格の勉強の進捗管理、体温や体重の記録等にも使えます。日々の目標が達成できたかどうかは「〇」「×」でチェックすると簡単です。

ガントチャート

複数の仕事の進行を管理

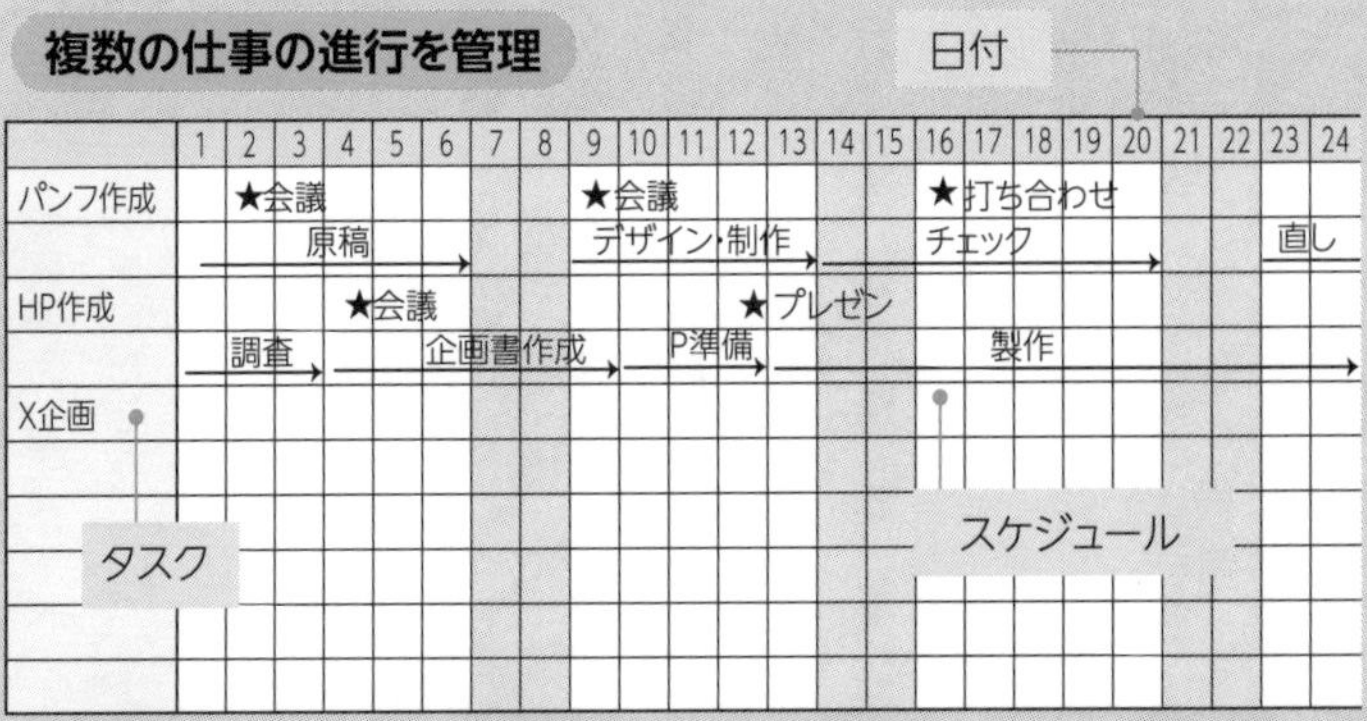

日付

	1	2	3	4	5	6	7	8	9	10	11	12	13	14	15	16	17	18	19	20	21	22	23	24
パンフ作成		★会議							★会議							★打ち合わせ								
			原稿						デザイン・制作							チェック							直し	
HP作成				★会議								★プレゼン												
		調査			企画書作成					P準備							製作							
X企画																								

タスク

スケジュール

チームのメンバーごと、顧客ごと、プロジェクトのタスクごとなど、さまざまな記録の仕方がある

日課のチェックシート

	1	2	3	4	5	6	7	8	9	10	11	12	13	14	
ジム	○	○	×	×	○	×	○	×	○	×	○	○	○	×	
読書30分	×	○	○	○	×	×	○	×	○	○	×	○	×	○	
禁酒	×	○	○	○	○	○	○	○	×	○	○	○	○	○	
英語の勉強（分）	20	30	30	0	30	30	20	30	60	[illegible]	[illegible]	[illegible]	[illegible]	[illegible]	
体重	65.3	65.5	65.8	65.3	65.2	65.5	65.9	65.3	65.3	[illegible]					

日課が達成できたら○、できなかったら×

その日の記録をメモする

日課の達成度、健康の記録、家族や趣味の予定表などにも使える

05

書き込みスペースが補える！「ふせん」は手帳の強い味方

小さな手帳には、じゅうぶんなメモスペースがありません。

「綴じ手帳」はページの入れ替えができないし、巻末メモ欄には限りがあります。どんどんメモしていると、すぐにメモスペースがいっぱいに。これでは「あまり書かないようにしよう」と「メモしない習慣」がついてしまいます。

そこで、**小さな綴じ手帳には「ふせん」を常備して、メモ機能を補いましょう**。ちょっとした走り書き、その場限りのメモなどは、手帳にではなくふせんにメモ。いらなくなったら捨てられるので、手帳がムダな書き込みで埋まらずに済みます。

また外出先でふと思いついたこと、スケジュールに関係ないメモなども、とりあえずふせんにメモして手帳に貼っておきます。**大事な情報は後でノートへ貼り替えれば**いいいし、誰かに渡すときはそのまま渡すことができます。

ふせんは手帳の見返し（表紙の次の厚めの紙）などに貼って持ち歩くのが便利です。5センチ×5センチ、5センチ×7・5センチ、それ以上の大きいサイズだと、じゅ

手帳にふせんを常備する

クリアファイル

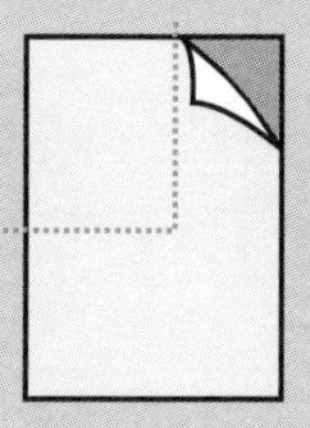

手帳サイズにカット

片側を手帳カバーの内側に差し込む

ふせんやカットしたマスキングテープを貼る

うぶんに書き込みができます。2～3種類を10～20枚くらい重ねたまま貼っておきましょう。大きさや色にバリエーションを持たせると、用途に応じて使い分けができます。

ふせんを貼る台紙は、クリアファイルで手作りすることもできます。クリアファイルを手帳のサイズに合わせて切り、開いた片側を手帳カバーの内側に差し込むだけ。ここにふせんを貼ります。マスキングテープをよく使う人は、適当な長さに切っていっしょに貼っておくとかさばりません。

ふせんは剥がれやすいのが弱点ですが、「粘着面の広いもの」や、「強粘着タイプ」もあるので試してみてください。

06

「ふせん」はスケジュール欄でこう使う

貼って剥がせる「ふせん」は、手帳に常備しておくと何かと便利です。

たとえば、**手帳に書き切れないスケジュール関連情報をふせんにメモ**します。

もし、スケジュール欄に「A社で会議　9時〜」とあったら、ふせんに「〇〇を提案してみる」と書いたり「A社の連絡先と行き方」をメモして貼っておきます。ふせんに書いておけば、別ページや新しい手帳に貼り替えることも可能です。「透明ふせん」を使うと、重なっても下の書き込みが隠れません。なお、どのスケジュールに関連するメモなのかがわかるよう、日付を書く、線で結ぶなどしておきましょう。

「佐藤さんに電話」のようにすぐ**不要になるメモもふせん向き**です。

未確定の予定はふせんに書いて、確定したら手帳にペンで書くのもいいでしょう。

ただし、剥がれるリスクがあるので、**重要な用件は直接手帳に書く**ほうが安全です。

手帳に残したくないメモもふせんに書けば捨ててしまえます。

また、**他の人に見られたくない書き込みの上にふせんを貼る**と目隠しになります。

ふせんに何を書くか

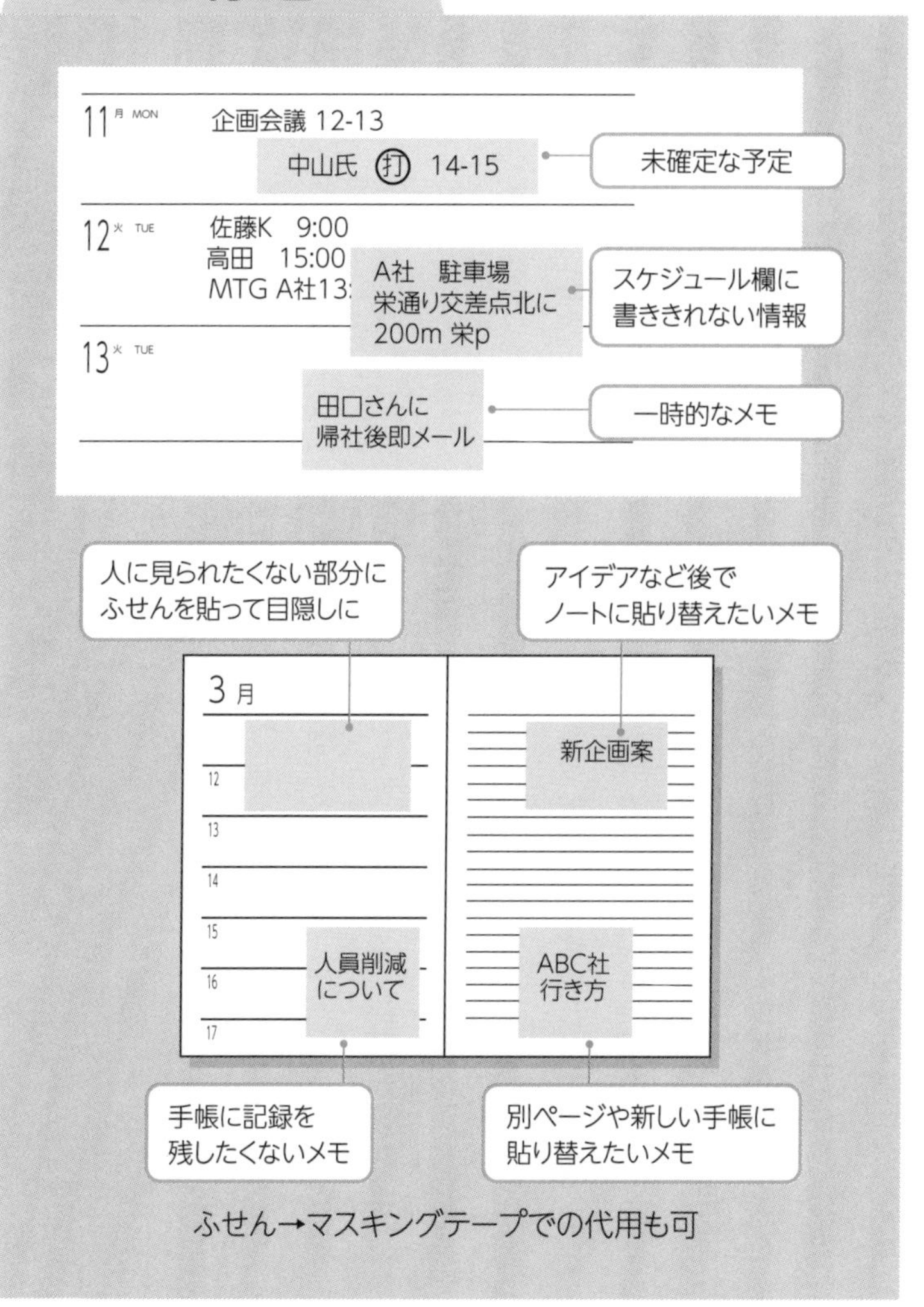

ふせん→マスキングテープでの代用も可

07

「結果」「実績」をメモすれば仕事の効率がアップする

手帳は書き込みスペースが限られるので、予定のみの記録になりがちですが「結果」や「実績」も簡単に記録しておくと、報告書の作成や仕事の振り返りに役立ちます。PDCAサイクルを回すのにも「実績」の記録は必須です。

たとえば、「会議資料の作成」としてスケジュール上では2時間取っておいたのに、実際は3時間かかってしまった……。こんなときは「3時間」と実際にかかった時間を書いておきます。「操作ミスでデータ消失」のように「理由」も簡単に書いておくといいでしょう。青ペンなどで色を変えて書くと、実績だと把握しやすくなります。結果や実績を書いておくと、次回はより正確な時間の見積もりができるし、作業時間の短縮も図れます。

その仕事が終了したかどうかを書いておくのもいいでしょう。チェックを入れたり「了」「完」とでも書いておきます。

仕事の結果は「○」「×」等、わかりやすい記号で記録しておきます。たとえば商

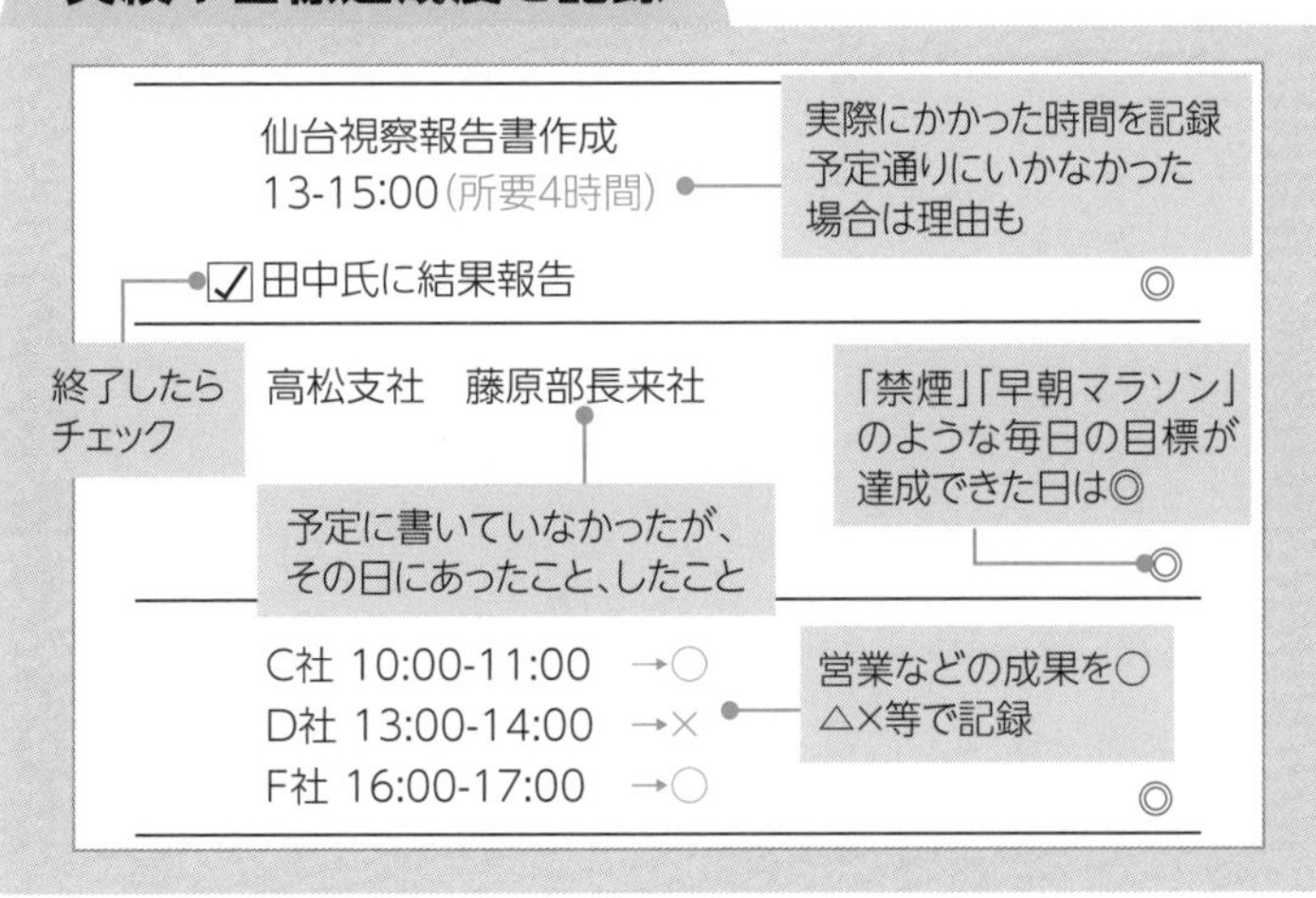

談がうまくいった場合は「○」、いかなかった場合は「×」と書き添えておくと、結果が一目瞭然です。

ほかにも**「予定にはなかったけれど、今日あった大事なこと」**も書いておきます。

たとえば「A社から新商品について問い合わせ」「B社からサンプル到着」のようなことは、後で「いつだっけ？」と確認することがあるかもしれません。

仕事以外では、自分の日課が達成できたかどうかを記録してもいいでしょう。「英語を毎日1時間勉強する」という目標がある人は、目標を達成した日には「○」をつけたり、「2H」と勉強した時間を書いたりします。

08

「ふせんTODOリスト」をスケジュールと連動させよう

「TODOリスト」にはいろいろな作成・管理方法がありますが、ふせん1枚にタスクを1つ書き出し、優先順位の高い順に貼るという方法も簡単です。優先順位がひと目でわかるし、優先順位が変わったら貼り替えればOK。「予想作業時間」や、期限のあるTODOには「期限」も書いておきましょう。

ただしTODOは、ただ書き出すだけでは不十分です。

たとえば「報告書作成」のような重要なタスクは、リストから取り出して、いつやるかをスケジュールに記入してください。締切のあるタスクも同様です。スケジュールに落とし込んで、確実に片づけるのです。

また「企画書作成」のようにざっくりしたタスクは、「資料収集」「現地調査」「パソコン作業」のように作業を細かく「分解」。それぞれの作業時間を見積もって、スケジュールに落とし込みましょう。大きな仕事は細かく「分解」することで、詳細なスケジュールが組みやすくなり、より取りかかりやすくなります。

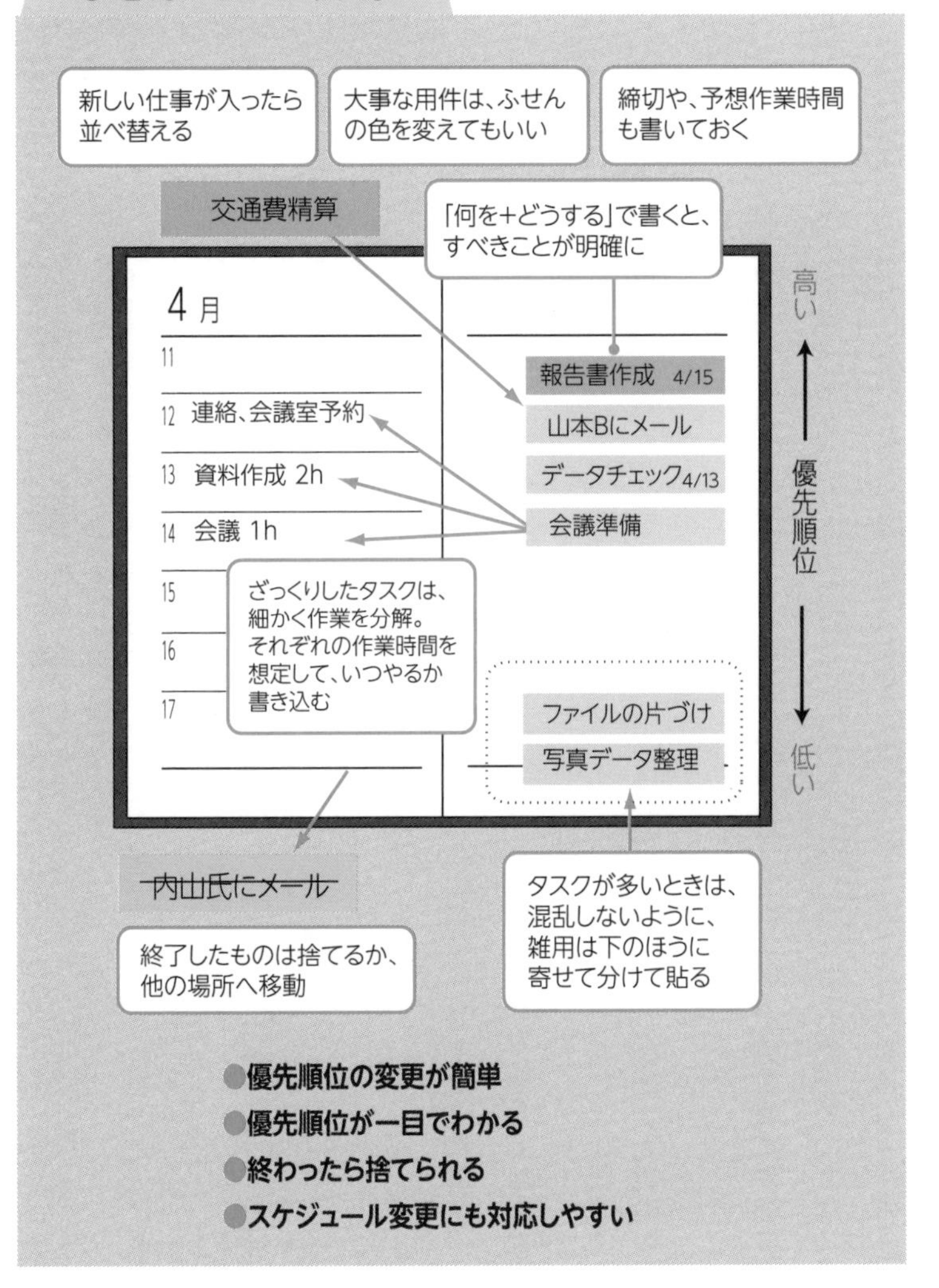
ふせんTODOリスト
新しい仕事が入ったら並べ替える
大事な用件は、ふせんの色を変えてもいい
締切や、予想作業時間も書いておく
交通費精算
「何を+どうする」で書くと、すべきことが明確に
4月
11
12 連絡、会議室予約
13 資料作成 2h
14 会議 1h
15
16
17
報告書作成 4/15
山本Bにメール
データチェック4/13
会議準備
ざっくりしたタスクは、細かく作業を分解。それぞれの作業時間を想定して、いつやるか書き込む
ファイルの片づけ
写真データ整理
高い
優先順位
低い
内山氏にメール
終了したものは捨てるか、他の場所へ移動
タスクが多いときは、混乱しないように、雑用は下のほうに寄せて分けて貼る
●優先順位の変更が簡単
●優先順位が一目でわかる
●終わったら捨てられる
●スケジュール変更にも対応しやすい

09

思いつきを手帳にメモして「アイデアノート」にする

いつも持ち歩いている手帳は「思いつき」や「アイデア」をメモするのにぴったりです。

「メモするほどのアイデアなんて、そうそう思いつかない」という人もいると思います。でもメモするのは、「新しい企画を思いついた」とか、「斬新な問題解決方法を思いついた」といった純粋なアイデアでなくてもいいのです。

たとえば「どうしてこの店だけいつも混んでいるんだろう?」という**素朴な疑問**。

「部内にクラウドが導入されていないのは不便だな」のように「**問題では?**」「**ちょっと変?**」**と感じたこと**でもいいでしょう。

「このお店のPOP、いつも面白いこと書いてあるな」のように、**面白いと思ったこと**もOK。

「もっと簡単なデータ入力方法があったはずだけど?」のように、**後で調べたいこと**もメモしておきます。

これらは単に「ふと頭をよぎったこと」で、今はアイデアではありません。

思いつきを書きとめる

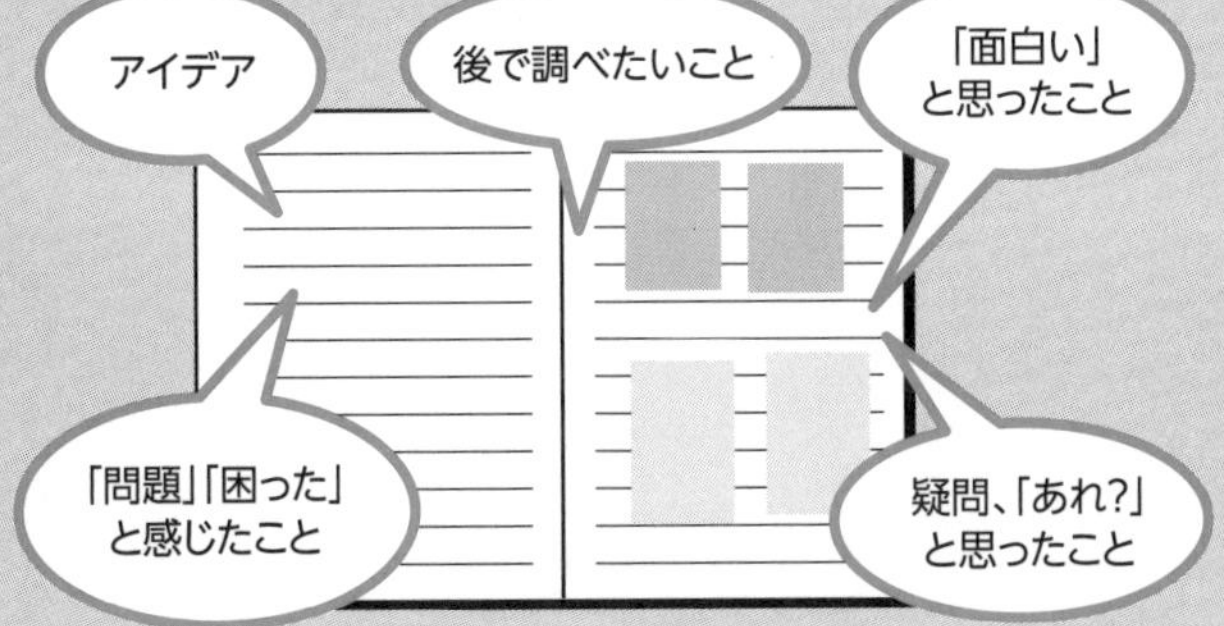

アイデア
後で調べたいこと
「面白い」と思ったこと
「問題」「困った」と感じたこと
疑問、「あれ?」と思ったこと

とりあえずメモして、大事な情報はノートへ移動

でも、じっくり煮詰めていけば、今後アイデアにつながっていくかもしれないものです。だから、忘れないようにメモしておくのです。

また、こうした「思い」を書きとめておくと、さまざまな問題について自分なりに考えるトレーニングにもなるはずです。

手帳にふせんを常備しておけば、思いついたことをどんどんメモできます。巻末フリーページを見開き2ページほど開けておき、そこにふせんを貼るルールにすると、まとめてチェックできます。

ふせんはこまめに見直して「これは使えそう」「これについてはじっくり考えてみたい」というものはノートに貼り替えたり、書き移したりして、さらに発展させてください。

10

「フリーページ」が役立つデータベースに大変身

「電話番号」や「路線図」のように外出先でちょっと参照したい情報は、スマホにデータを入れたり、都度ネットで調べる人が多いと思います。けれども、**あえて手帳に書いたりプリントを貼ったりしておく**と、便利で安心な情報もあります。

たとえば**緊急時の連絡先**です。大地震などの災害時は、スマホが使えなくなることもあります。家族の勤務先や学校の電話番号等の連絡先は手帳に書いておくと、本人に連絡がとれないときに役立ちます。

鉄道路線図やよく使う駅の時刻表は、手帳にあるとささっとオフラインで見られて意外と便利です。ホームページからＰＤＦでプリントできるものもあります。

ＳＮＳなどの**ログインＩＤやパスワード**などの管理方法はいろいろですが、手帳に記録しておくのも一つです。「ａ」を「＠」に置き換える」「最後や間に決まった三文字をつける」のように、重要度に応じて暗号化するといいでしょう。パソコンでテキスト化して管理しているなら、プリントして貼るとパソコンが壊れても安心です。

手帳をデータベース化

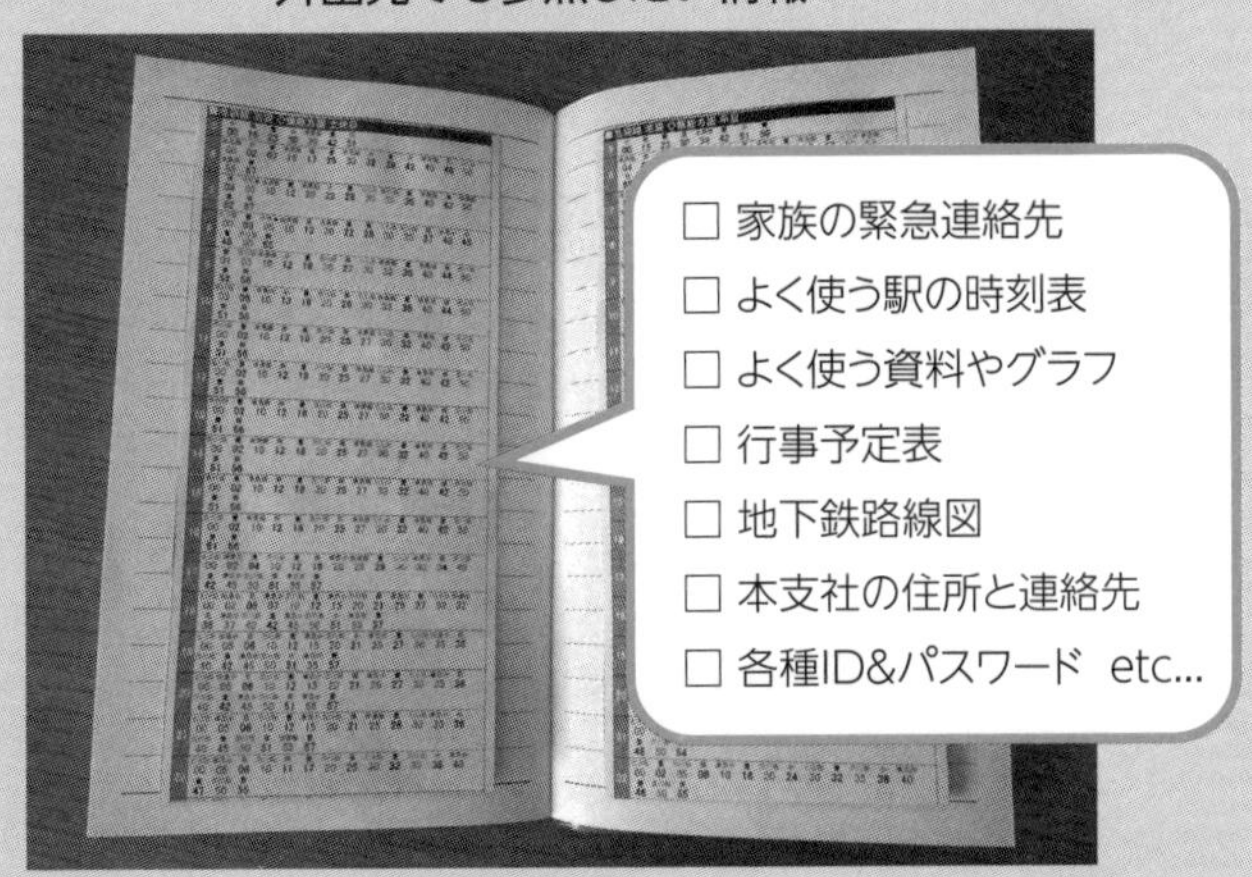

フリーページに書き込む、コピー or プリントして貼る

新しい手帳に引き継ぎたい情報は、
書き写すのが面倒なら、コピーして貼ってしまう

11 「備忘録」が手帳にあれば、いつでもどこでもチェックできる

手帳は常に持ち歩くので、「備忘録」にはぴったり。

たとえば「買い物リスト」用のページを巻末フリーページに作っておいて「単三電池がない！」となったらささっと書き込みます。直接書き込んでもいいし、ふせんに書いて貼ってもＯＫ。ふせんだと用済みになったら捨てられるので、買い物リストにはぴったりです。

綴じ手帳の場合、フリーページが多めのものを選ぶと、備忘録が充実します。ページが足りない場合はふせんに書いて貼るといいでしょう。

買い物リスト以外にも「後で調べること」「読みたい本」「やりたいこと」といった備忘リストを作ってどんどん記入していきましょう。

●あると便利なものリスト

「出張の際の持ち物リスト」「カラオケの持ち歌リスト」などは、あれば必要なときにチェックできます。

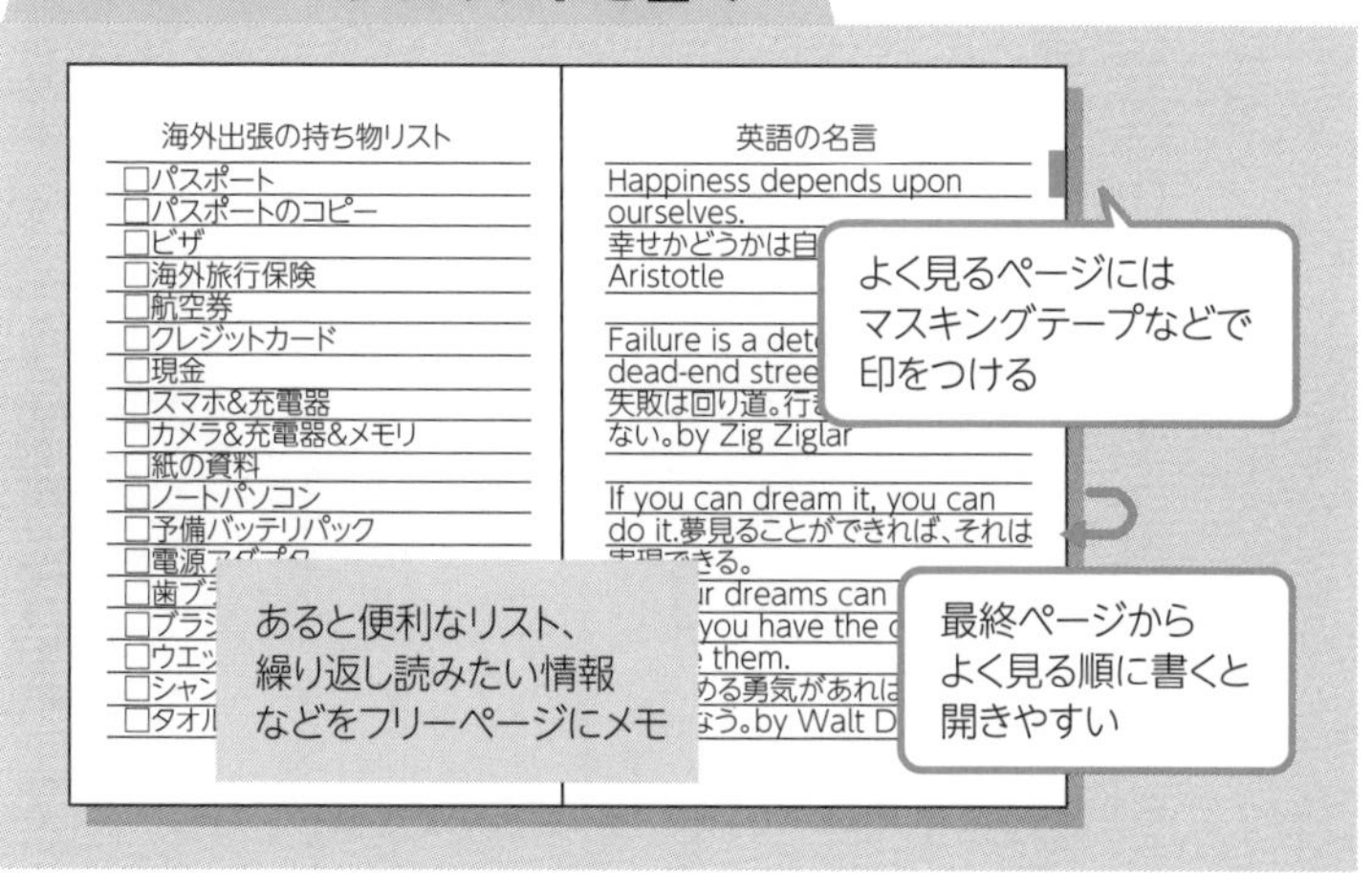

●繰り返し読みたいもののリスト

「好きな名言」「覚えたい専門用語」など何度も読み返したいものもリスト化します。

●話のネタリスト

ニュースやネット、同僚との会話などで知った面白い情報をメモしておきます。

巻末フリーページにこうした情報を書く場合、**最後のページからよく見る順に書いていく**と、目的のページを開きやすくなります。

また、よく見るページにはマスキングテープやふせんで簡単な目印をつけておくと、すぐに開くことができます。

さらに、来年以降も使いたいものは、コピーすれば新しい手帳に貼り替え可能です。

12

「今年の目標」は手帳に書き、毎日ながめて実現すべし

新しい手帳を買ったら**「今年実現させたい目標」を書き込んでしまいましょう。**表紙の裏など、目に入りやすい場所に書いておきます。

目標達成のためには**「数値目標を入れる」「期限を設定する」**のがコツです。「英語力アップ」「お金をためる」のような漠然とした目標ではなく「9月の試験でTOEIC730点」「年末までに貯金100万円」と具体的な目標にしてください。

そして、目標を達成するには「いつまでに」「何をするのか」を考えましょう。**大きな目標は細かなタスクに分解し、それぞれに期限を設定して、手帳に書き込む**ところまで実行してください。たとえば「TOEIC730点」なら、試験日から逆算して、毎日何をどれだけ勉強すればいいのかを考え、スケジュール化します。

目標は週末や月末に定期的に見直し、柔軟にスケジュールを組み直しましょう。

また、予定がどの程度達成できたかも、随時書き込んでいきます。最終的に目標が達成できなかった場合に、原因を究明し、次回に活かすことに役立つはずです。

1年の目標を書く

◎今年の目標

□ 毎日8時出社

□ 貯金100万円（月々7万、ボーナス15万）

□ TOEIC730点　9月まで

☑ 4月マレーシアに行く

スケジュール欄と連携させ、できた日、できなかった日をスケジュール欄に○×でチェック

目標達成したらチェック

目標　9月にTOEIC730点

目標達成のためにすることを書き出す

□ 単語集A、B　問題集A、B、Cを購入
□ 試験日、申し込み日確認
……即日

□ リスニング60分
□ 単語暗記20分（通勤時間）
□ リーディング20分（通勤時間）
……毎日

□ 字幕なしで映画
□ 問題集を解く
……毎週末

□ 模試を解く　……8月

何を、いつまでにやるかを考え、スケジュールに書き込む

Mon	Tue	Wed	Thu	Fri	Sat	Sun
	1	2	3	4	5 問題集A ～p.20	6 StarWars
7	8	9	10	11 単語集A 1回目 了	12 問題集A ～p.40	13 TED
14	15 模試申込〆	16	17	18	19 問題集A ～p.60	20 模試
21	22	23	24	25 単語集A 2回目 了	26 問題集A ～p.70	27

13 「今日は何した？」その日の出来事をひとことメモ

ＳＮＳに日々の記録を綴る人が増えています。

「毎日の記録はあると楽しそう。でもＳＮＳは負担だし、誰かに見られるのも恥ずかしい」――こんな人には、手帳に簡単な日記を書くのがおすすめです。

「映画を見た」「ゲーム購入」「風邪で休み」「大雪」のように、**その日何をしたのか、何があったのかを、スケジュール欄の空きスペースなどに書いておく**のです。ひとことでかまいません。

他人に披露するまでもない地味な出来事も、後で振り返ると「こんなことがあったなあ……」と懐かしく思い出されます。またその1行が引き金となって、そのころの記憶が不思議なほど生き生きとよみがえってくるものです。

書くのは仕事のこと、趣味のこと、観た映画や読んだ本の感想、何でもかまいません。何があったのかだけでなく、自分の気持ちまで書けたら理想です。

もっと簡単に「行った場所」「トレーニングやダイエットの記録」「体調」「買ったもの」

手帳に日記をつける

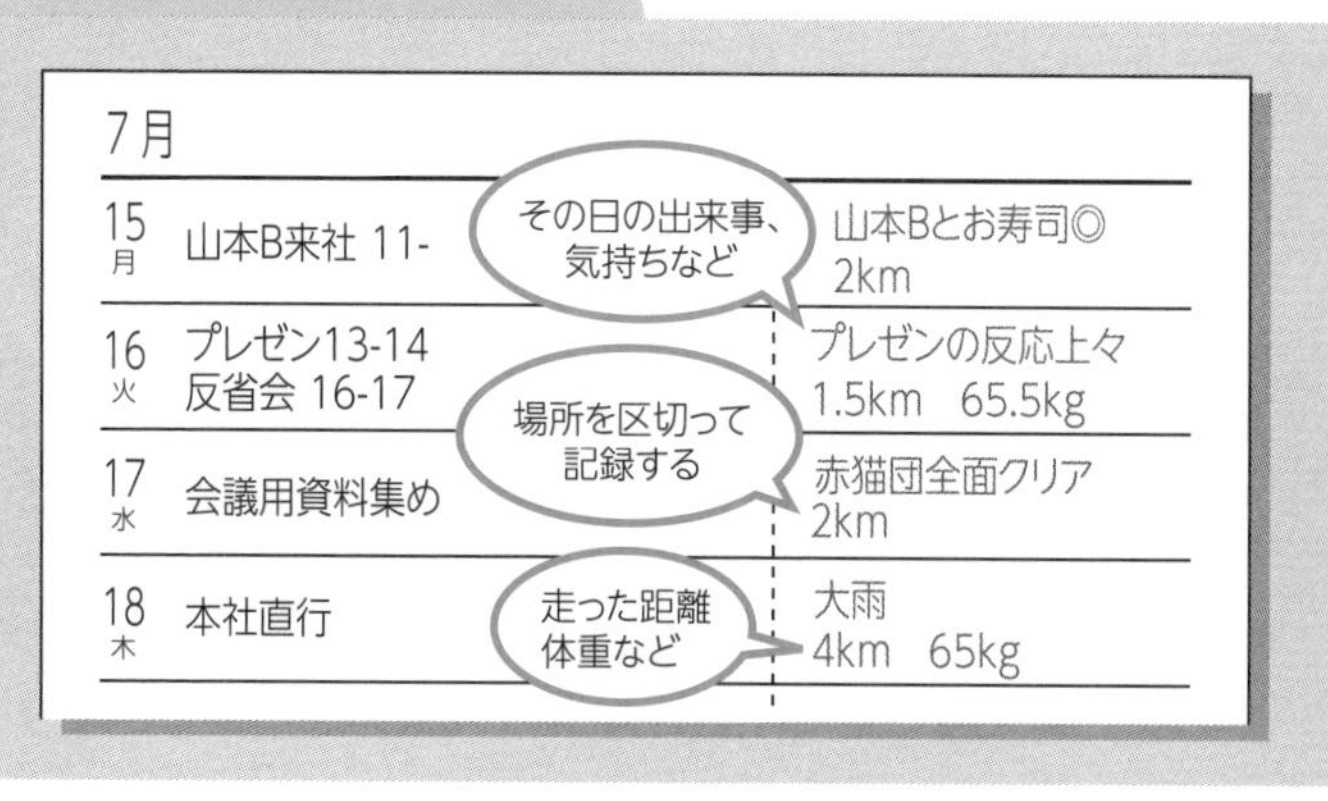

「読んだ本や見た映画のタイトル」などを淡々と記録するだけでもじゅうぶん。毎日の献立を書くと、栄養の偏りがわかり、体調管理に役立ちます。

とはいえ「何でもどうぞ」と言われると、何を書いていいのか悩んでしまいますよね。

書くのが苦手な人が日記を続けるコツは、あえて**簡単なルールを決めてしまう**ことです。

たとえば「今日一番楽しかったこと」「食べたもの」など、書くことを決めてしまいます。「書くのは帰りの電車の中」のように書く時間を決めてしまうのもいいでしょう。

いったんルールを決めてしまえば、後は決めたルールを淡々とこなすだけ。「何を書こう」「いつ書こう」と悩むことがなくなるので、習慣化しやすくなるはずです。

14

3行日記で日々の記録を残す

日記にはあれもこれも書こうとせず、まずは1行パターンから始めましょう。

「その日にしたこと・あったこと」「最も印象に残ったこと」を1行だけ書くのです。

「上田さんとお寿司」「スマホ買い替え」でOKです。

最初はハードルを低くして、とにかく書いてみてください。

少し余裕が出てきたら「①その日にしたこと・あったこと」に加えて「②それに対する自分の思いや考え」を書く2行パターンにステップアップです。

「①12時まで残業。②すごく眠い。」がこの2行パターンになります。「何を感じ、考えたのか」を事実に書き添えます。

続いて「今後はこうしたいという自分の希望」をプラスする3行パターンです。希望を書き添えることで、ぐっとポジティブな印象になります。たとえば「①『たいしん』で塩ラーメン。②おいしかった。③次は味噌にしよう。」という感じです。

この3行パターンは仕事の記録にも使えます。特に、仕事がうまくいかなかったとき

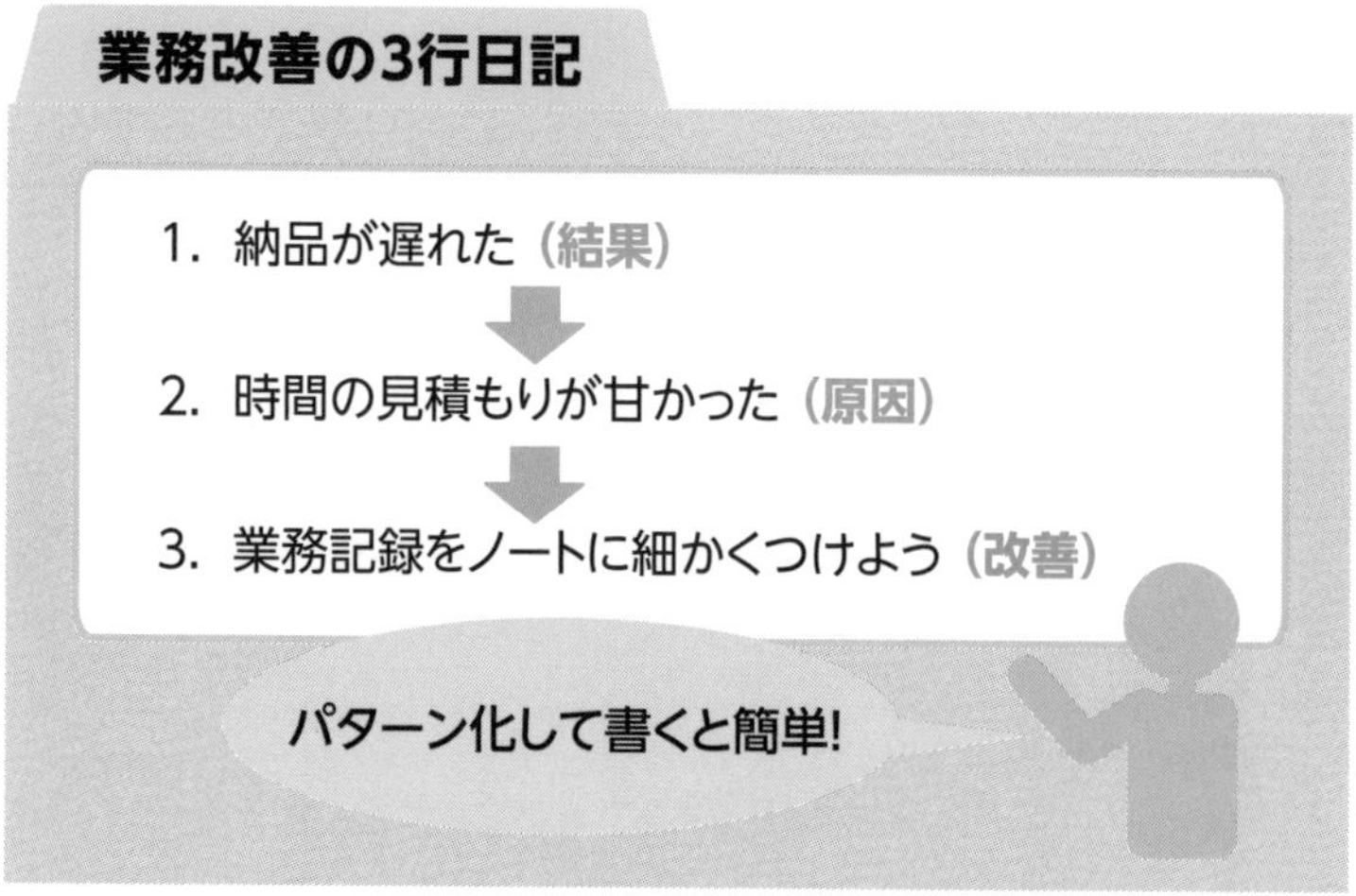

業務改善の3行日記

1. 納品が遅れた（結果）
↓
2. 時間の見積もりが甘かった（原因）
↓
3. 業務記録をノートに細かくつけよう（改善）

パターン化して書くと簡単!

は「①結果」「②原因」「③改善」の順で記録して、業務改善に結びつけていきましょう。

このように、パターンを決めてしまうと「どう書こう?」と悩む必要がなくなるので、とても書きやすくなるのです。

大事なのは、できるだけポジティブに締めること。仕事もプライベートも「毎日順調!」とはいきません。辛かったこと、失敗したことのほうが、どうしても記憶に残ります。

だから心の内をそのまま綴ると、日記もネガティブになりがちです。これだと読み返したときに、暗い気持ちになってしまいます。

そこで、最後はできるだけポジティブに締め、沈む気持ちに区切りをつけましょう。そして明日からは、新たな気持ちで臨んでください。

コラム

スケジューリングはここに注意!

●余裕のあるスケジュールを組もう

1時間かかる仕事に1時間15分取るなど、少し余裕を持って時間を見積もると、スケジュールが押しても安心です。

●前倒しで進めよう

スケジュールに余裕を持たせたうえで、前倒しで進めていきましょう。気持ちに余裕ができるし、急な割込み仕事にも余裕で対応できます。

●締切から逆算してスケジュールを決めよう

まず締切や納期を明確にします。そして納期から逆算して、スケジュールを考えていきます。

●大きな仕事は分解してスケジューリング

重要だけど緊急ではない大きな仕事は、細かな作業レベルに分割してスケジュールを組みます。ゴールをこまめに設定すると、目標ができるのでやる気もわきます。

●スケジュールは「変更ありき」で考える

新しい仕事が割り込んできたり、納期が変更になったりは日常茶飯事。その都度スケジュールを見直して、柔軟に対応しましょう!「フリクション」ペンだと書き直しができます。

Chapter 4

今日から実践！
仕事のメモ術ノート術

01

あわてずに「電話」をかける・受けるメモ

電話で大事な話をするときは、**事前に用件をざっとメモしてから**かけましょう。「何を伝えるのか」「何を聞くのか」「何を決めるのか」などを話す順番で書き出して、確認しながら話をすると「用件を伝え忘れた！」といったことがなくなります。

電話を受けるときは「〇〇〇の件、△△△ということですね……」のように**相手の言ったことをゆっくり復唱し、時間を稼いでいる間にメモ**するといいでしょう。会話のスピードは速いので、話を聞きながらメモを取るのは意外と大変です。よほどの緊急時でもない限り、相手をイラつかせることもないので、正確な情報をメモするようにしましょう。

電話の取り次ぎが多い人は、左図のように必要項目を盛り込んだフォーマットを用意しておくとメモ取りが楽です。自分の業務に合ったものを自作するといいでしょう。

なお、電話は基本、口約束になってしまいます。**電話で決まったことは、後で簡単にまとめてメールで確認**すると確実です。

電話をかける・受けるメモ

●電話前に用件を整理

テック社　上野さん

□ 昨日の打ち合わせで保留となった開催場所の件で

□ OK　→こちらで予約します

□ ×　→代替案あるか？

ある　定員、設備等調べ

ない　ABCホール / T'Sレンタルスペース　} 詳細メールで送ります

事前に内容をメモして整理する

メモにゆったりスペースを取っておくと、相手の言ったことを書き込める

忘れっぽい人は、相手の名前も書いておく

●取り次ぎ用のフォーマットを作る

12 月 11 日　11 時 30 分

齋　藤　様

AAP社営業部　植木　様より電話がありました。

☑ 戻り次第、電話をください

電話番号　03-xxxx-xxxx

□ 後ほど、かけ直します

□ 伝言のみお願いします

メッセージ

明日のミーティングの
時間を変更してほしい

連絡先　03-xxxx-xxxx

総務部　中田　が電話を受けました。

- □ パソコンで自作可
- □ 黄色やピンクが目立って◎
- □ 市販品も種類多数
- □ 裏紙を使うとゴミと勘違いされるので要注意
- □ 社名や人名はカタカナだと速く書ける

●必要項目が盛り込まれたひな型を用意

●聞きもらしが減り、メモ取りも楽

02

「仕事ノート」にプロジェクトのすべてを記録しておく

大きな仕事が一段落したら、記憶が薄れないうちに、全記録をノートに残しておきましょう。**「発生した作業の内容」「かかった時間」「誰が何を担当したか」といった5W2Hを中心に、反省点や改善点も必ず書いてください。**ずぼらな人でも最低限、こうした情報は記録しておきましょう。

特に1人で片づけてしまう仕事は、「覚えたから」と記録を怠りがちです。面倒でもノートに書いておくと、次に同様の仕事をするときに必ず役に立ちます。

決まった形式はないですが、ページ左の3・5センチくらいのところに線を引き、項目を書き出すと、情報に漏れがないかチェックしやすいです。「ノートがきれいに書けない」と悩んでいる人は、この一本線を引くだけで、見やすいノートになります。

右側には各項目の詳しい記録を書きましょう。スケジュール表や参考資料、ふせんに書いたメモなども、直接ノートに貼りつけておきます。ただし、持ち出し禁止の資料の取り扱いには要注意です。

仕事の記録ノート

Date 2016 12月 3

(株) エフ…　講習用テキスト作成

F社 担当者	田中様　倉田
期間	2016、8、26 〜
スタッフ	執筆　田村　三 監修　住田大先 イラスト　たかの… AD　小野 データ作成　竹田
スケジュール → 詳細 8ページ	8、26　第一回 打ち… F社 田中様、倉田様、中村 8、27　スケジュール確定

- □ 発生した業務内容
- □ 担当者
- □ かかった時間
- □ スケジュール
- □ 予算
- □ いつ、どこで、何をした、誰と会った、という行動記録　etc...

雑感
- スケジュールに余裕なく、入稿がギリギリ
  → 執筆者もう1名増やすべきだった
- 10月は住田先生セミナーで多忙とのこと
  → スケジュール確認してから頼む
- …タバックアップ用USBが行方不明に！
  → クラウドにも保存（ドロップBOX）
  → 保管場所…赤いカゴに入れる

- □ 感想や反省
- □ トラブルとその原因
- □ 改善点
- □ うまくいった点とその理由

手帳やメールの記録も参考にする

03

「PDCAノート」で業務改善のサイクルを回していこう

仕事を「やりっぱなし」にしていたら、PDCAサイクル（58ページ参照）は回せません。「振り返り」の時間を作り、実績や改善、評価についても記録しておきましょう。どのようなフォーマットで記録してもかまいませんが、ここではノートを見開きで四分割して、左から「P」「D」「C」「A」を記録する方法を紹介します。

まずは、向こう1週間の主な仕事を「P欄」に記入します。

そしてノートは毎日仕事が終わったら開き、「D欄」にその日の実績を書きます。予定どおりにいかなかったり、ミスがあったりした場合は「C欄」に原因を書きます。そして「A欄」にはミスの再発を防ぐ改善策を記入します。さらに改善策について実行スケジュールが立てられたものは、その予定を手帳に記入しましょう。

ここでは1週間単位で主な仕事を書き出していますが、毎日たくさんの仕事がある人は1日単位で記録してもいいし、プロジェクト単位で記録してもいいでしょう。自分に合った方法で、PDCAを残してください。

PDCAノート

2016.11.21 - 25

P（計画）	D（実行）	C（評価）	A（改善）
11.21 田中氏 イベント打ち合わせ 準備 1h / 打ち合わせ 1h	1h 前回イベント時の記録を参考に / 2h 長引く、次回 11/28 持ち越しあり（出演者）	→ 話が脱線しすぎ	→ 次回は進行表を作成していく。打ち合わせ時間が限られていることを始めに言う
11.22 出張報告書作成 1h	2h かかる	→ 資料一部行方不明 / 思い出すのに時間かかる	→ データ化 → クラウドへ / → その日のうちに現地でできるだけ作成
11.23 企画書作成 ・資料、情報収集 3H ・PC作業 2H	→ 2H ネットより本の方がよい資料があった / → 3H	→ オフィスソフト バージョンUPされていてとまどう	→ 部でテキスト購入 or 講習会
11.23 部内会議 1H 企画持ち寄り	→ 2H 5人が発表 かなり長引く	→ 質問タイムを含めて考えてなかった	→ 1人20分～で見積り
11.24 望月さんと会う 1H	→ 1H 新プロジェクト、業界動行について伺う		→ 大変有意義だった。またお会いしたい。
11.25 新人指導 3H （PC）	→ 3H 予定していたパートは終了 メモ取らせるがあやしい部分も	→ 3時間ぶっ通しは長すぎ 一度では習得できない	→ 1h 1h ×3 のように
主なTODOを書く。「期限」と「見積もり時間」も書く	何をどのように行ったのか、所要時間 etc…	ミスの原因、上手くいった理由など	「C」の改善策。改善のために何をするか決めたら、スケジュールに落とし込む

04

「トラブル記録ノート」で同じ失敗を繰り返さない

「納期に間に合わなかった」「顧客を怒らせた」など、仕事にはトラブルやミスがつきものです。**大事なのは、同じ失敗を繰り返さないこと**。そのためには心の中で反省して終わりではなく、次の記録を必ずノートに残しておきましょう。

①どのようなミスやトラブルが起こったのか
②どのように対処したのか
③原因は何か
④今後どうすれば防げるのか、どのような対策をとればいいのか

単に何があったのかを記録するだけでなく、**原因をつきとめて、具体的な再発防止策を書く**ところまで必要です。また、再発防止策は「いつまでに」「誰が」「どのように実行するか」まで考えて、スケジュールに落とし込んでください。

冷静に原因を分析し、対策を練って実行する。これで新たなミスを防ぐことができるのです。気持ちを前向きに切り替えて、次の仕事に取り組んでいきましょう。

トラブルを記録する

Date 2016.11.16　トラブル　納品データ

納品データに不備があり再度作成した件

概要	データが最新の状態になっていなかったが、気づかず納品してしまう。 確認すると古いデータと新しいデータが混在している状態。 急遽データを作成しなおし、一日遅れての納品となる。 お客様より厳重注意を受ける。 以前にも同様のトラブルあり。2016.6.8
対処	納品 11 月 10 日 10 時 当日 15 時にお客様より連絡あり。 手元のデータをチェック→不備を確認 データを作成し直す。 作業時間：5時間 作業：山田　田中 11月１１日９時に再度納品。 料金一割引きで納得していただく。
原因	□一つのデータを複数人で入力・修正作業。 □データをＵＳＢで移動させて別ＰＣで作業した。 □オンラインストレージサービスの利用がうまくなされていない。
改善	□データはクラウドサービスの Dropbox 上に保存を徹底。 □ＵＳＢは保存時のみ利用。ＵＳＢ上のデータは加工しない。 →12/5　のミーティングで説明＆簡単な講習会 担当：田中 □ Dropbox ビジネス向けサービスの試用申し込み。 → 12/4 まで　担当：田中 □クラウド活用セミナーへの参加。 →12/10　担当：山口

手書きが苦手な人は、パソコンで作成してノートに貼る方法がおすすめ

□ ミスやトラブルの概要
□ どのように対処したのか
□ 原因は何か
□ 防止策、改善策

失敗の原因を分析する

改善策には実施期限なども設定。実行スケジュールを考える

05

会議の「準備メモ」があれば会議中のノートがすらすら取れる

会議の内容をきちんと把握してメモするには、事前の準備が欠かせません。

まず、進行表などの資料があれば、必ず目を通してください。そして「議題は何なのか」「どのような流れなのか」を確認しておきましょう。

ここをしっかり押さえていると、今話し合われていることが大事な内容なのか、雑談なのかの判断がつきます。また、話が進むべき方向に進んでいるのか、あさっての方向に向かっているのかもわかるので、メモすべきポイントがつかみやすくなります。

ノートは会議前に一度開いて、「日時」「参加者」「議題」などをわかる範囲で書き込んでおきましょう。聞きたいこと、言いたいことも書き出しておきます。

会議中の発言は、発言者の名前とともにメモします。

参加者の名前があいまいな場合は、ノートとは別の用紙に座席と名前をメモして置いておくと、見ながらメモできます。性別も記号などで入れておくと、よりわかりやすくなります。このメモは会議後にノートに貼っておきましょう。

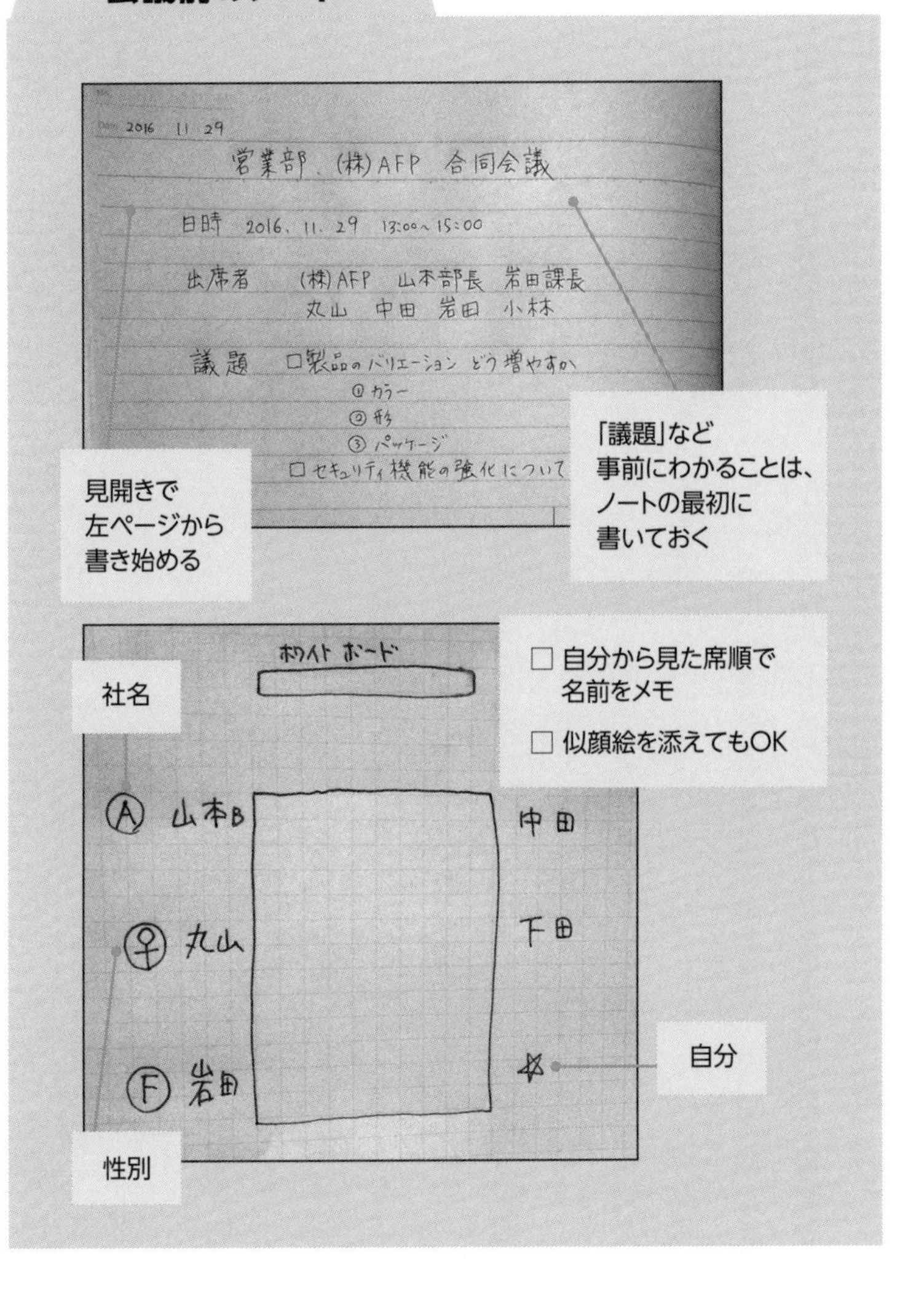
会議前のノート
2016 11 29
営業部、(株)AFP 合同会議
日時 2016. 11. 29 13:00～15:00
出席者 (株)AFP 山本部長 岩田課長
丸山 中田 岩田 小林
議題 □製品のバリエーション どう増やすか
① カラー
② 形
③ パッケージ
□ セキュリティ機能の強化について
「議題」など
事前にわかることは、
ノートの最初に
書いておく
見開きで
左ページから
書き始める
ホワイトボード
社名
□ 自分から見た席順で
名前をメモ
□ 似顔絵を添えてもOK
Ⓐ 山本B
中田
丸山
下田
自分
Ⓕ 岩田
性別

06

会議のポイントをすばやく書きとめるコツ

会議中の発言を、すべて書きとめる必要はありません。話されていることをよく聞き、理解しながら、要点のみ書きとめます。**録音している場合も、メモは必ず取ってください。**メモがないと、議事録作成の際などにすべて聞き直さなければならず、きわめて非効率です。

さて、会議のメモは**結論だけ書くのでは不十分。**結論に至るまでに**どんな意見が出て、どんな経緯でその結論に至ったのかも書く**必要があります。どの発言が重要なのか、何が最終的な決定事項なのかは、会議が終わってみないとわかりません。そこで、とりあえず大事そうな発言はメモしておくことになります。

ノートはあらかじめ縦線で区切り、余白を多めに確保しておきます。会議ではどうしても話の内容が前後したり、その場でメモしきれないことも多いため、後で情報を書き足すスペースが必要だからです。

会議中のメモ 1

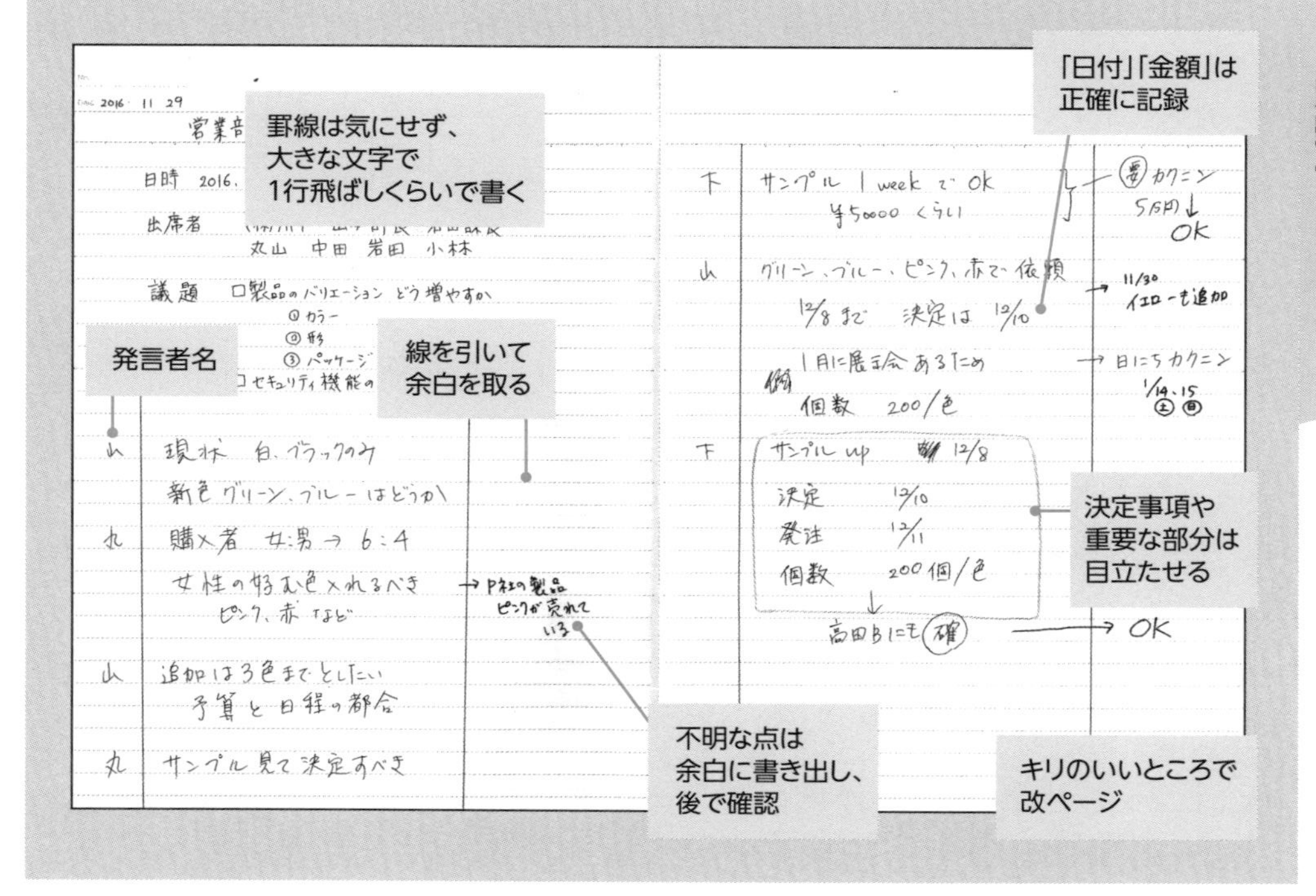
「日付」「金額」は正確に記録
罫線は気にせず、大きな文字で1行飛ばしくらいで書く
発言者名
線を引いて余白を取る
決定事項や重要な部分は目立たせる
不明な点は余白に書き出し、後で確認
キリのいいところで改ページ

罫線にこだわらず、大きな文字で1行飛ばしくらいでどんどん書くと速く書けます。聞き逃したところは空白にしておき、後で確認しましょう。

話が脱線しているときは、ノートを見直す絶好のチャンス。メモできなかった部分を書いたり、わからないことを聞く・調べるなどしてしまいます。

無事に会議が終了したら、すぐにノートの見直しです。

決定事項や重要な箇所は、赤ペンで線を引くなどして強調します。

会議中に書けなかった部分は、記憶が薄れないうちに書き足しましょう。

不明な部分や補足が必要な部分は、調べてノートの余白に書いておきます。あらかじめ「確認が必要な点は緑」のように色を決めて、会議中にアンダーラインや○をつけておくと、すぐ作業に入れます。

議事録や資料は縮小コピーしてノート貼っておくと、メモとあわせて参照できます。

議事録や報告書を作成する場合も、いきなりパソコンを開くのではなく、**ノート上で以上のまとめ作業をしてからパソコンで作成**しましょう。いきなりパソコンに向か

会議中のメモ 2

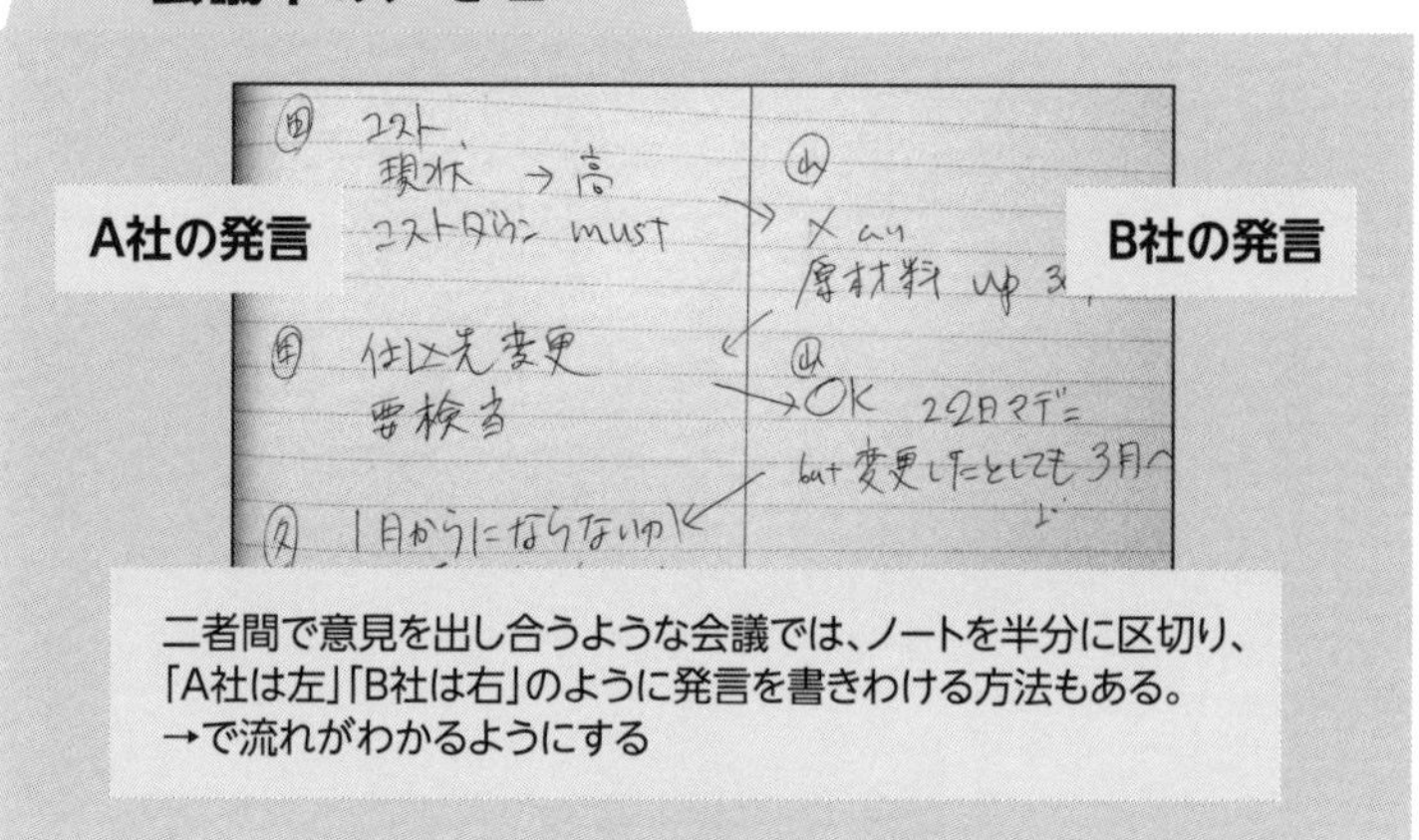

二者間で意見を出し合うような会議では、ノートを半分に区切り、「A社は左」「B社は右」のように発言を書きわける方法もある。→で流れがわかるようにする

うより、ずっと短時間で作成できます。

なお、**録音がある場合も、報告書や議事録はメモを参考にしてまとめましょう。**録音はメモできなかった部分のみ聞き直すと効率的です。

議事録の作成は面倒ですから、できればやりたくないですよね。しかし他社との会議などの場合、相手に議事録の作成を任せてしまうと、相手に有利な内容にされかねません。

自分で議事録を作成すれば、そのような事態は避けられます。とても重要な作業ですし、ビジネス文書作成の練習にもなります。

また自分の力を上司や同僚に披露するいい機会です。進んで引き受けるくらいの気持ちでいてください。

07 人に会うときのメモ コミュニケーションを円滑にする

「その後、プロジェクトのほうはいかがですか？」

「この前お会いしたときは、○○を担当されてましたよね」

顔の広い人ほど、こちらのことをよく覚えていてくれています。自分もこんな気遣いのある対応を見習いたいものです。

そこで、誰かと会ったら**興味を持って相手の話を聞き、後でその人の情報を簡単に名刺にメモ**しておきましょう。「今こんな仕事をしている」「誰といっしょに働いている」など、そのとき話題にのぼった情報です。

そして次に会うときは少しだけ時間をとって、事前にメモに目を通すのです。するとその人に合った話題を、さりげなくふることができます。相手も「覚えてくれていたんだな」と悪い気はしないはずです。

意外と大事なのがプライベートの情報です。趣味が同じだとか、出身校が同じだとかの共通点があると一気に親近感がわくし、記憶に残ります。こうした情報もざっと

名刺にメモ

名刺の表

株式会社 アルファ　20XX.12.13
開発部
山田　光太郎
東京都港区港〇-〇-〇
TEL. 03-0000-0000

会った日付(名刺の同じ場所に書く)

名刺の裏

・A社遠藤氏の紹介,A社展示会
・アプリの企画制作担当
・英語が話せる
・スキー

- □ どこで会ったのか
- □ 話題にしたこと
- □ 業務内容
- □ 共通の知人
- □ 「メガネ」など容姿の特徴(失礼のない程度)。似顔絵も可
- □ 趣味
- □ 家族　など

メモしておくといいでしょう。

自分の情報もある程度オープンにすると、相手の記憶に残りやすくなります。仕事のことだけでなく、趣味や家族のこともさりげなく話して、覚えてもらうキッカケを作りましょう。

初対面の人に会うときは、同僚などから簡単に情報を集めておくようにします。

最近は、SNS等で自分の情報を積極的に発信している人もたくさんいます。相手がこのタイプの人なら、事前にざっと目を通しておきたいものです。

「自分の存在を知っていてくれたんだな」とわかれば親近感がわくし、話題もできますから、会話がスムーズに進むはずです。

08

「打ち合わせノート」をコミュニケーションツールにしよう

打ち合わせを段取りよく成功に導くには、事前の準備がものを言います。

当日「何を決めるのか」は、あらかじめノートに書き出しておきましょう。書くことによって「いつ・何をするのか」「納期はいつか」「金額はいくらか」といった決めるべき目標が明確になります。

そして日付、予算などは、あらかじめ「納期は9月3日」「予算は100万円」のように、目標とする数字等を想定しておきましょう。その場でより突っ込んだ話ができるようになります。

さて、打ち合わせのノートは単に決めたことを書くだけでなく、「コミュニケーションの道具」として一役買ってくれることもあります。

コツはノートを相手に見せながら書くことです。相手に見えるように机の上にノートを広げ、サインペンなど太めのペンを使い、大きな字で、見せながら書きます。

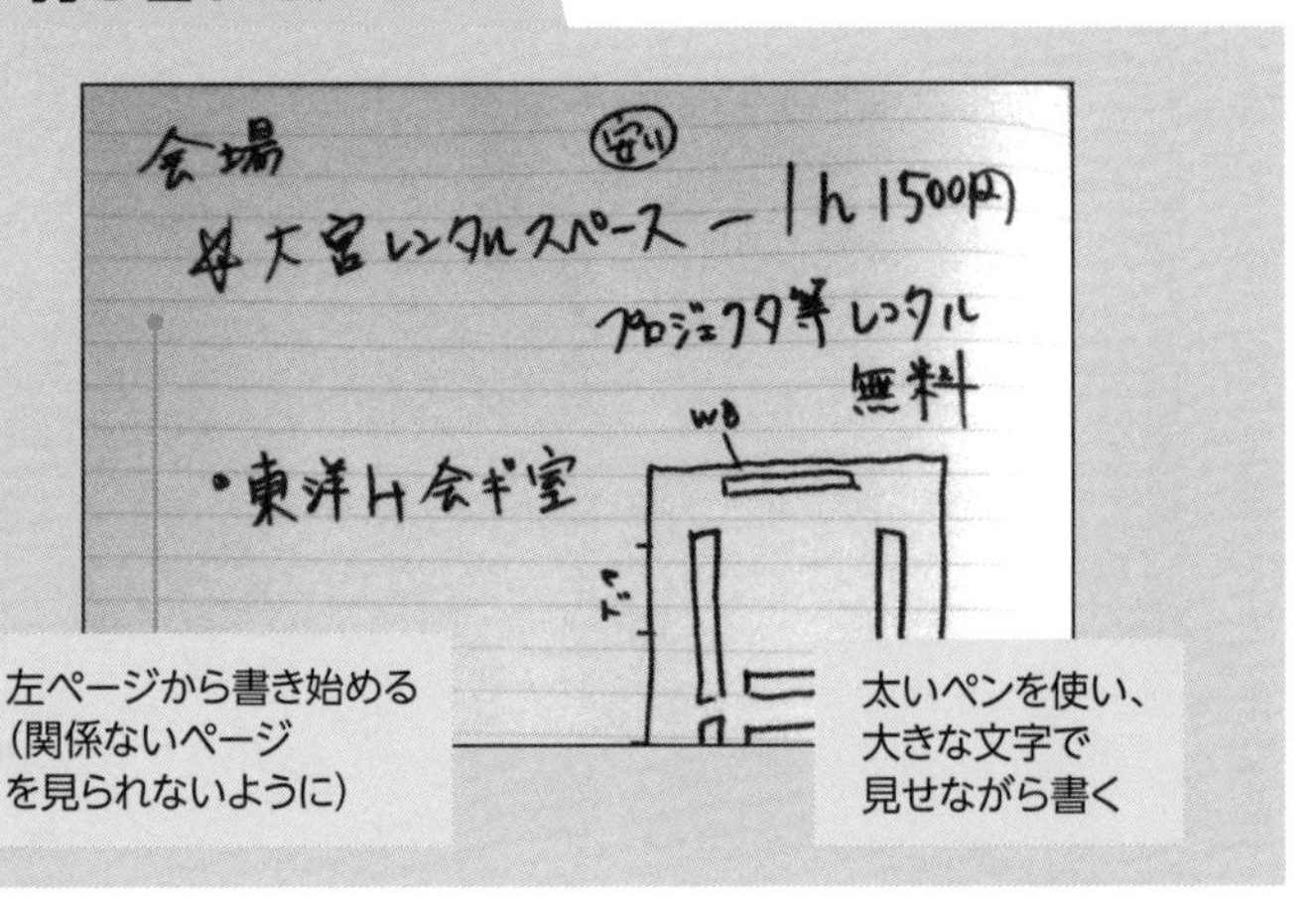

目の前でノートを書いていると、相手は自然とノートを覗き込むでしょう。そして、ノートを見ながら、書き込みのペースに合わせて話が進んでいくようになります。

話がよく理解できないときは、自然とペンが止まってしまいます。するとその様子を見て、「そこは○○ということで……」のように自ら説明をしてくれることもあります。

キーワードを赤ペンで囲っていると、その様子を見て「それについてですが……」とさらに詳しく話してくれるかもしれません。

字は汚くていいし、書けない漢字はカタカナで書けばＯＫ。多少ダメな部分があっても堂々と書くことが親近感につながり、信頼につながることもあるのです。

09

ふせんとノートで「ひとりブレインストーミング」

アイデア出しを迫られて困っているときは、**ふせんとノートを用意して「ブレインストーミング」**をしてみましょう。ノートにテーマを書いたら、ふせんに思いつく限りのアイデアを書き出していきます。アイデアは「1枚に1つ」が原則です。

頭の中で「これは実現不可能」「これは不要」と仕分けせず、**すべて書き出します。**一見くだらない思いつきでも、アレンジ次第で実現可能なものもあるからです。

グループだと競うようにアイデアが出てきますが、1人だと気が緩みがち。そこで「10分で30枚」のように目標を決めると集中力がアップします。

アイデアをすべて書き出したら、ふせんを似た内容でグループ化し、ノートに貼ります。そしてふせんをじっくり眺め、複数のアイデアを組み合わせるなどしてみてください。ここで気づいたことや新たな思いつきがあれば、今度はそれを書き出します。

行き詰まったときは、休憩を挟んで気分転換すると効果的です。

頭の中にあることをとりあえず書き出すことで、停滞した現状を打破してください。

アイデアを書き出す

イベントで何をするかのアイデアを出す

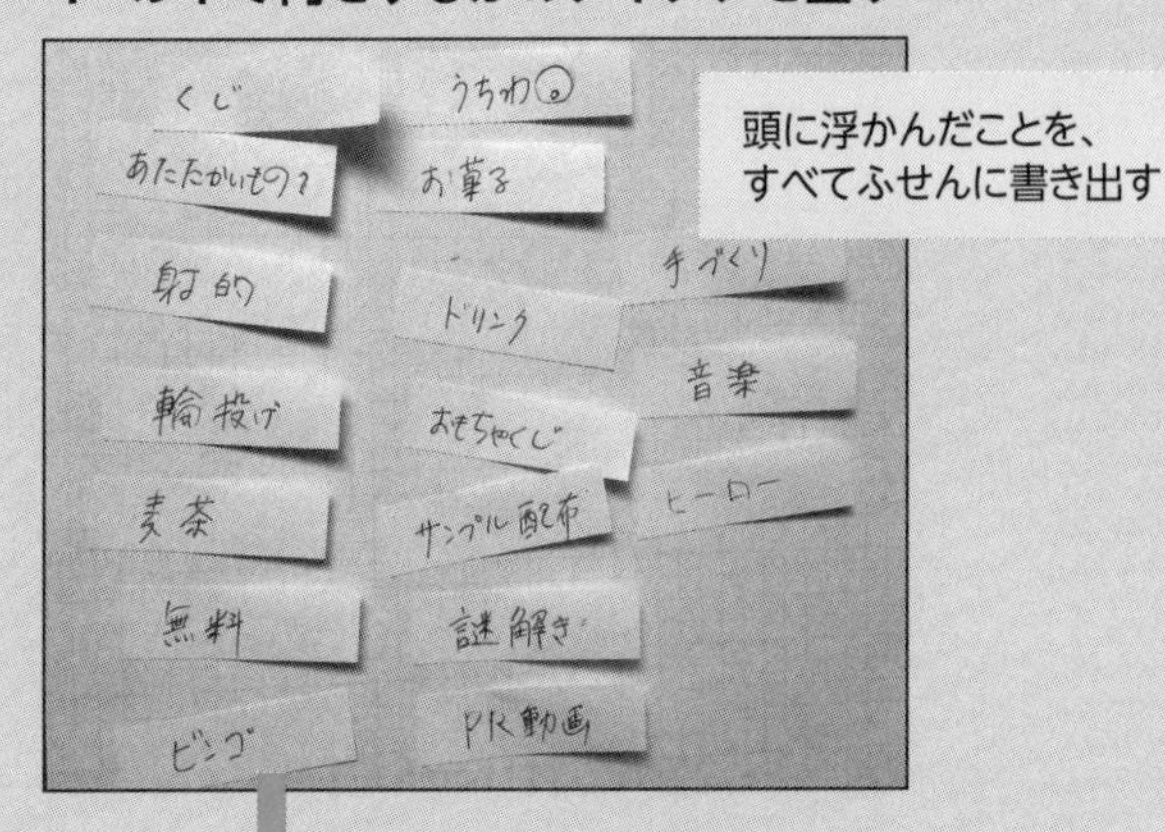

頭に浮かんだことを、
すべてふせんに書き出す

内容でグループ分け

「ビンゴで勝った人に無料体験プレゼント」
のように、アイデアを組み合わせて、
新たなアイデアを考える

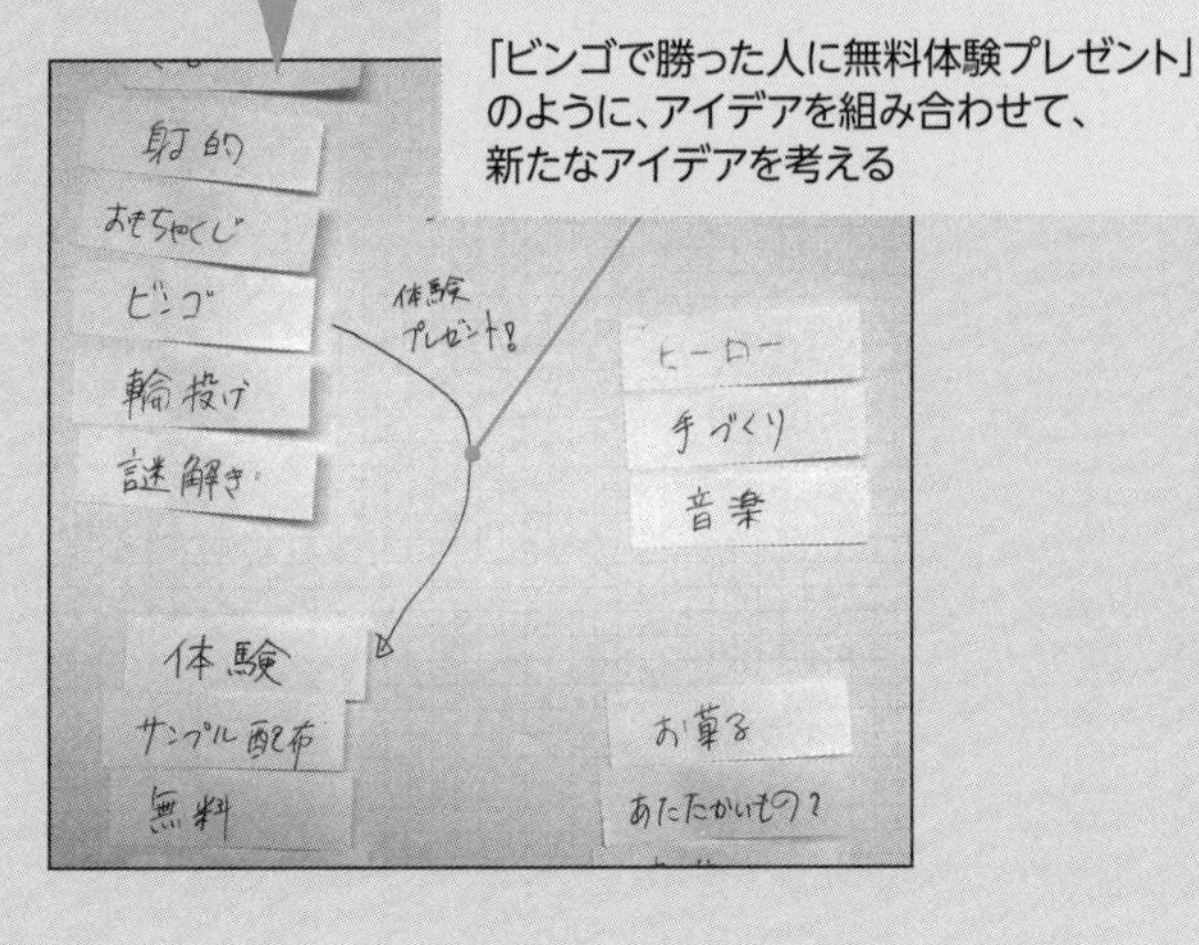

10 「問題解決ノート」で思いつきを確実に実行に移す

「売上を伸ばしたい」「仕事の効率を上げたい」など、仕事をしていれば誰でも皆、課題や目標を抱えていると思います。でも、それを手帳に書いて眺めているだけでは、いつまで経っても目標は達成できません。

そこで、もし「集客力アップ」という目標があったとしたら、ノートに集客力アップの方法を思いつく限り書き出してみます。第三者の意見も参考になるはずです。ノートには真ん中に1本線を引き、左側に書いていきます。

もし「ブログなどソーシャルメディアの利用」と書き出したとしたら、そのために具体的に「何をするのか」を考えて、ノートの右側に書いていきます。「ブログサービスの選定」「記事を1日1本アップする」のようにです。

そして「3月2日にブログサービスの選定」のように「いつやるのか」を決めて、スケジュールに落とし込んでいきます。計画だけに終わらせず、確実に実行してください。行動に移すことで、現状は必ず変わっていくはずです。

目標を書き出す

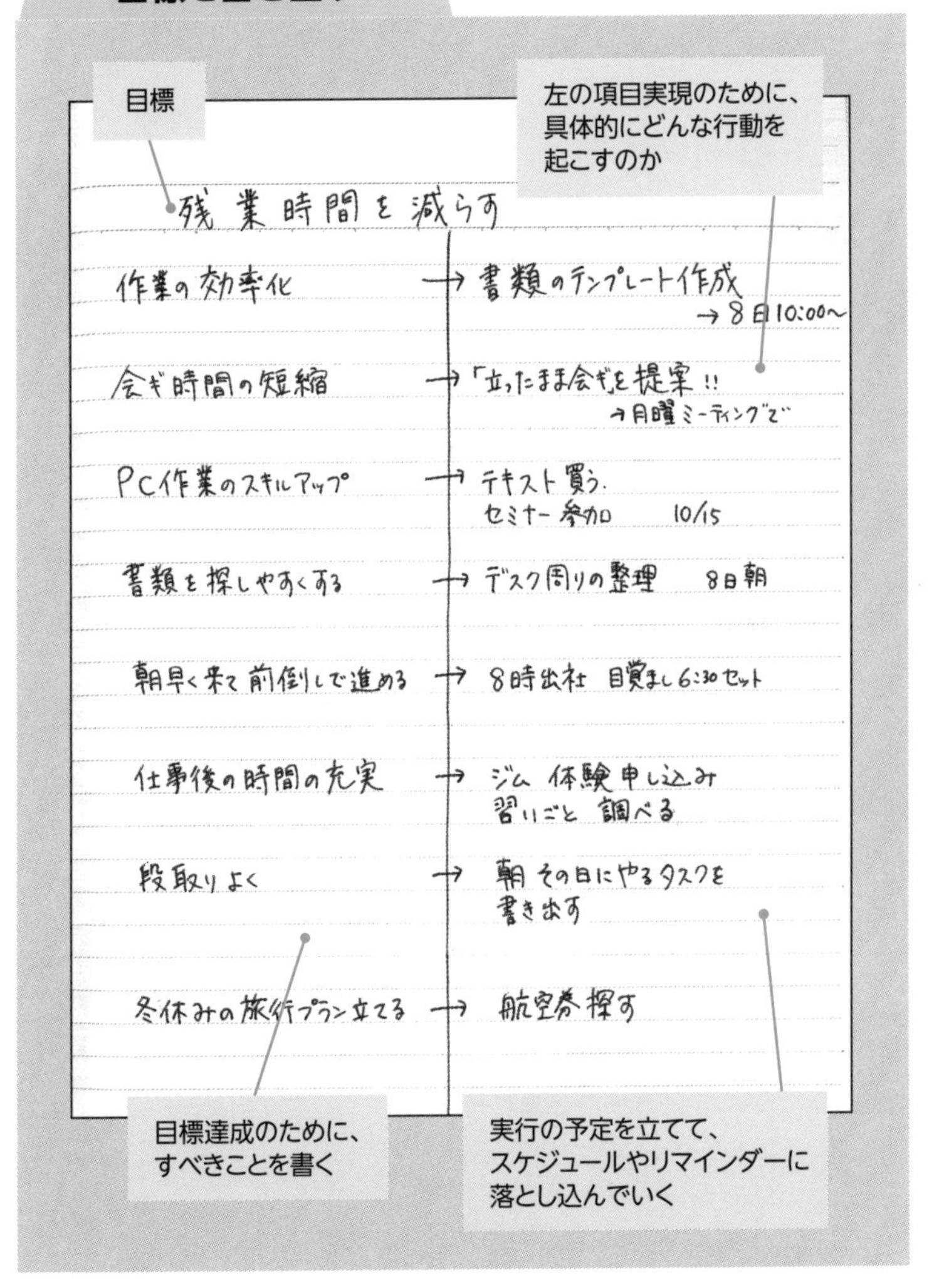
目標
左の項目実現のために、具体的にどんな行動を起こすのか
残業時間を減らす
作業の効率化 → 書類のテンプレート作成
→ 8日10:00〜
会ギ時間の短縮 → 「立ったまま会ギ」を提案!!
→ 月曜ミーティングで
PC作業のスキルアップ → テキスト買う.
セミナー参加 10/15
書類を探しやすくする → デスク周りの整理 8日朝
朝早く来て前倒しで進める → 8時出社 目覚まし6:30セット
仕事後の時間の充実 → ジム 体験申し込み
習いごと 調べる
段取りよく → 朝 その日にやるタスクを
書き出す
冬休みの旅行プラン立てる → 航空券探す
目標達成のために、すべきことを書く
実行の予定を立てて、スケジュールやリマインダーに落とし込んでいく

11 「セミナーノート」で学びを行動につなげよう

セミナーにはせっかく時間とお金を使って参加するのですから、しっかり元を取るつもりで臨みましょう。

まずノートはセミナーの開始前に開き、**あらかじめ今抱えている問題や疑問点を書き出して**整理しておきます。

たとえば「時間管理セミナー」に参加するのであれば、「段取りがうまくいかない」「上手な手帳の使い方が知りたい」のように、現在の自分が抱えている問題、知りたいことなどを書き出して、しっかり認識しておきます。

すると講師がその話に触れたときに、「これだ！」とアンテナが反応し、自分が必要とする情報を聞き逃すことがなくなります。

質疑応答の時間や講義終了後に、講師に直接聞いてみることもできるはずです。

ノートには、セミナーの内容をまんべんなく記録する必要はありません。

「なるほどね〜」「そうだったのか！」と**心に響いた部分を中心にメモ**します。自分

セミナーノート

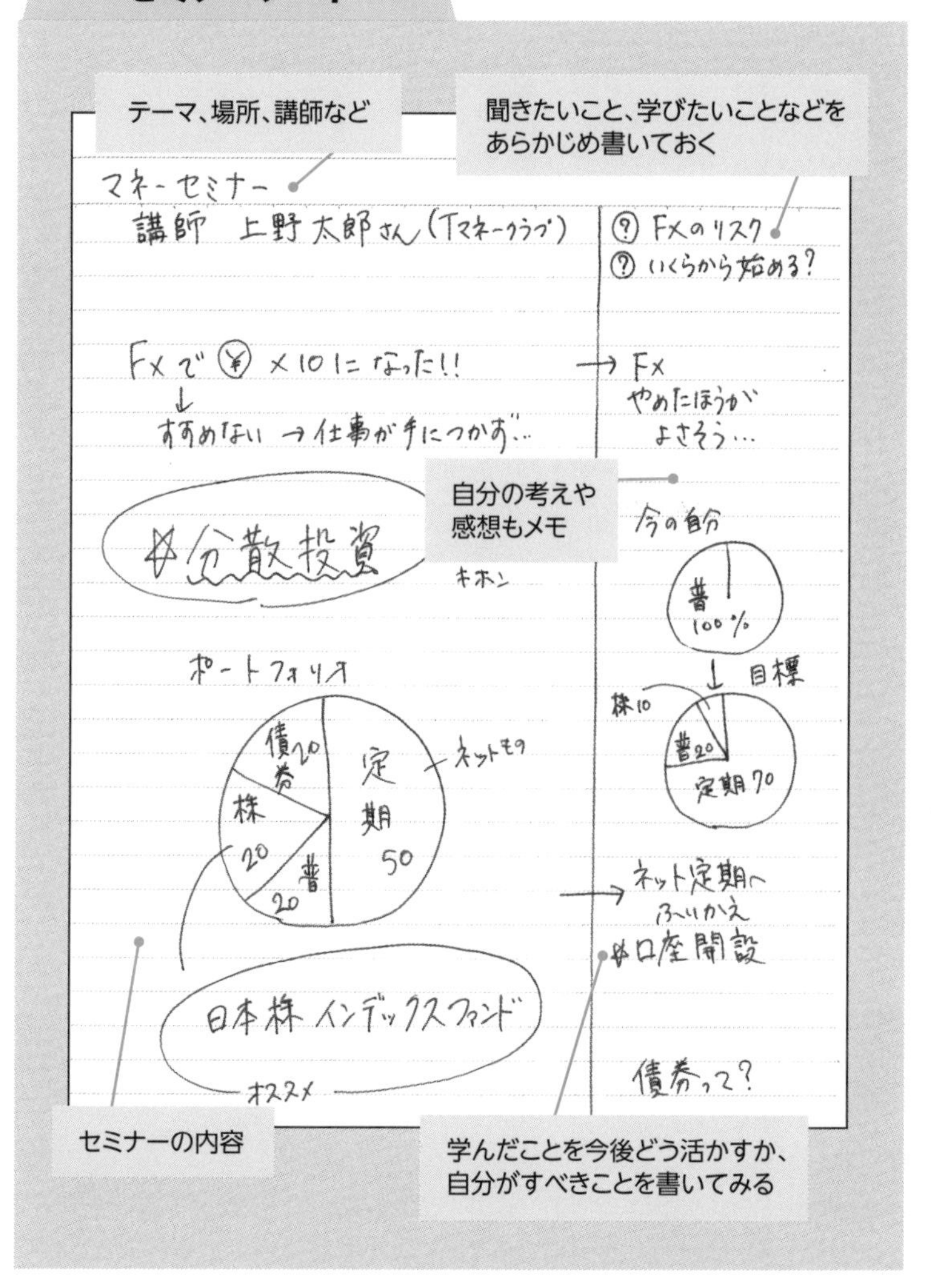
テーマ、場所、講師など
聞きたいこと、学びたいことなどをあらかじめ書いておく
マネーセミナー
講師　上野太郎さん（Tマネークラブ）
? FXのリスク
? いくらから始める？
FXで¥×10になった!!
すすめない → 仕事が手につかず…
→ FX やめたほうがよさそう…
自分の考えや感想もメモ
今の自分
普 100%
目標
株10
普20
定期70
分散投資
キホン
ポートフォリオ
債券20
株20
普20
定期50
ネットもの
→ ネット定期へふりかえ
口座開設
日本株インデックスファンド
オススメ
債券って？
セミナーの内容
学んだことを今後どう活かすか、自分がすべきことを書いてみる

にとって本当に必要な情報をメモできればよしとしてください。

講師の話だけでなく、**自分の意見や感想があればそれもメモ**しておきましょう。「それはどうかな……」「えっ、本当？」と疑問や否定的に思ったことも書いておくと、後で自分で調べたり、考えたりするきっかけになるはずです。


セミナーのノートは、図（137ページ）のようにページを二分割して書く方法があります。

左側にはセミナーの内容をメモ。キーワードだけでもOKですし、図解を取り入れてもわかりやすくなります。

右側には自分の考えを書いたり、気になったキーワードや疑問点を書いておき、後で調べて書くようにしてもいいでしょう。

また、**セミナーで学んだことを、今後どのような「アウトプット」や「アクション」につなげていくのかも考えて、右側に書く**ようにしてください。

たとえば、セミナーで聞いた「文書作成の効率化にはテンプレートを活用する」ということを自分の仕事に取り入れたいなら、「業務依頼の文書のテンプレートを作る。今週中」とノートの右側書いておきます。そして手帳で空き時間を調べて「いつやるのか」を決め、スケジュールに組み入れてしまいましょう。

①ノートを見直す
②「今、自分にできること」を考えて書き出す
③いつやるかを決め、行動に移す

という流れが実現できれば理想です。

なお、配られた資料はノートに貼っておくと、メモとあわせて読むことができます。

セミナーで学んだことは、後で何らかの**アウトプット**につなげてみてください。

たとえば、ツイッターやSNSで「セミナーでこんなことを学んだよ」と発信してみるだけでもいいのです。同僚や友人に「こんなことをするといいらしいよ」と話してみるのもいいかもしれません。

情報を発信するには、セミナーで得た知識を自分なりに消化して、自分の言葉でまとめ直さなければなりません。ですから**人に伝えようとすることで、自分の理解もよりいっそう深まっていく**のです。

12

「復習ノート」があれば知識がしっかり身に着く

社会人になっても、「英語力を上げたい」「資格を取りたい」といった理由で勉強する機会は常にあります。短時間で理解を深め、効率よく復習、暗記するのにぴったりなのが、ページを三分割して書く「コーネル式」ノート術です。

三分割したそれぞれの場所には、書くことが決まっています。

まず「ノート欄」には講義の内容を記録したり、テキストの内容をまとめ直したりします。箇条書きでもいいし、図解を取り入れてもいいでしょう。

次に「キーワード欄」に、ノート欄のキーワードを書き出します。ここを見るとノート欄の内容が思い出せるようなものを書き出しましょう。

最後に下の「サマリー欄」に、ノート欄のポイントを簡単にまとめます。

覚えることは「サマリー欄」にまとまっているので、復習するときは「サマリー欄」を繰り返し見ればいいので効率的です。また内容が理解できているかを確認するときは、「ノート欄」を隠し、「キーワード」の内容を説明してみてください。

コーネル式で暗記ノート

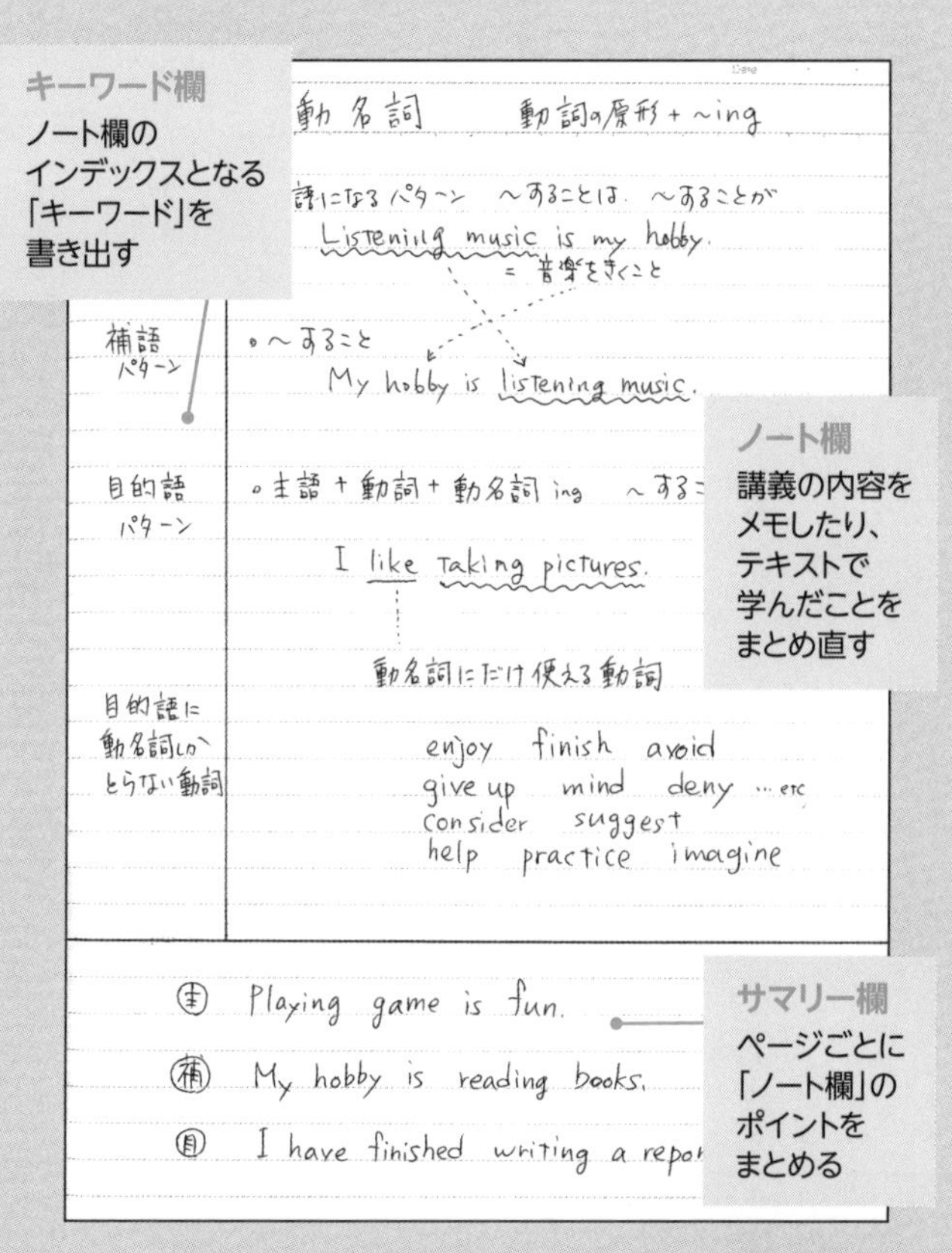

- ①ノート → ②キーワード → ③サマリー の順に書く
- 「ノート欄」を隠し、「キーワード」を説明してみる
- 「サマリー欄」を繰り返し見て、暗記・復習をする

13

「プレゼンテーション」はノート上で構想を練ろう

プレゼンテーションの準備は、「発想はペン」「作業はパソコン」で行いましょう。

手書きのほうが発想が広がるし、図もイラストも思うままに描くことができます。パソコンはペンより自由度が下がるし、フォントや色といった細かいことばかりが気になって、肝心の「何をどう伝えるのか」がおろそかになりがちです。

「何を」「どんな順序で」話すのか。全体の流れを考えながら、まずは**紙上で大まかな構成を考えていきましょう。**

「自己紹介」↓「課題」↓「原因」↓「解決策」↓「商品やサービスの説明」↓「メリット」↓「理由」↓「まとめ」のように、だいたいの構成が決まったら、それぞれの場面で何を伝えるのかを考えます。

次に、A4を半分にしたくらいの紙を何枚か用意してください。裏紙でもOKです。

そして1枚を1場面と考え、その場面で伝えたいメッセージや、図やイラストの簡

メッセージを書き出す

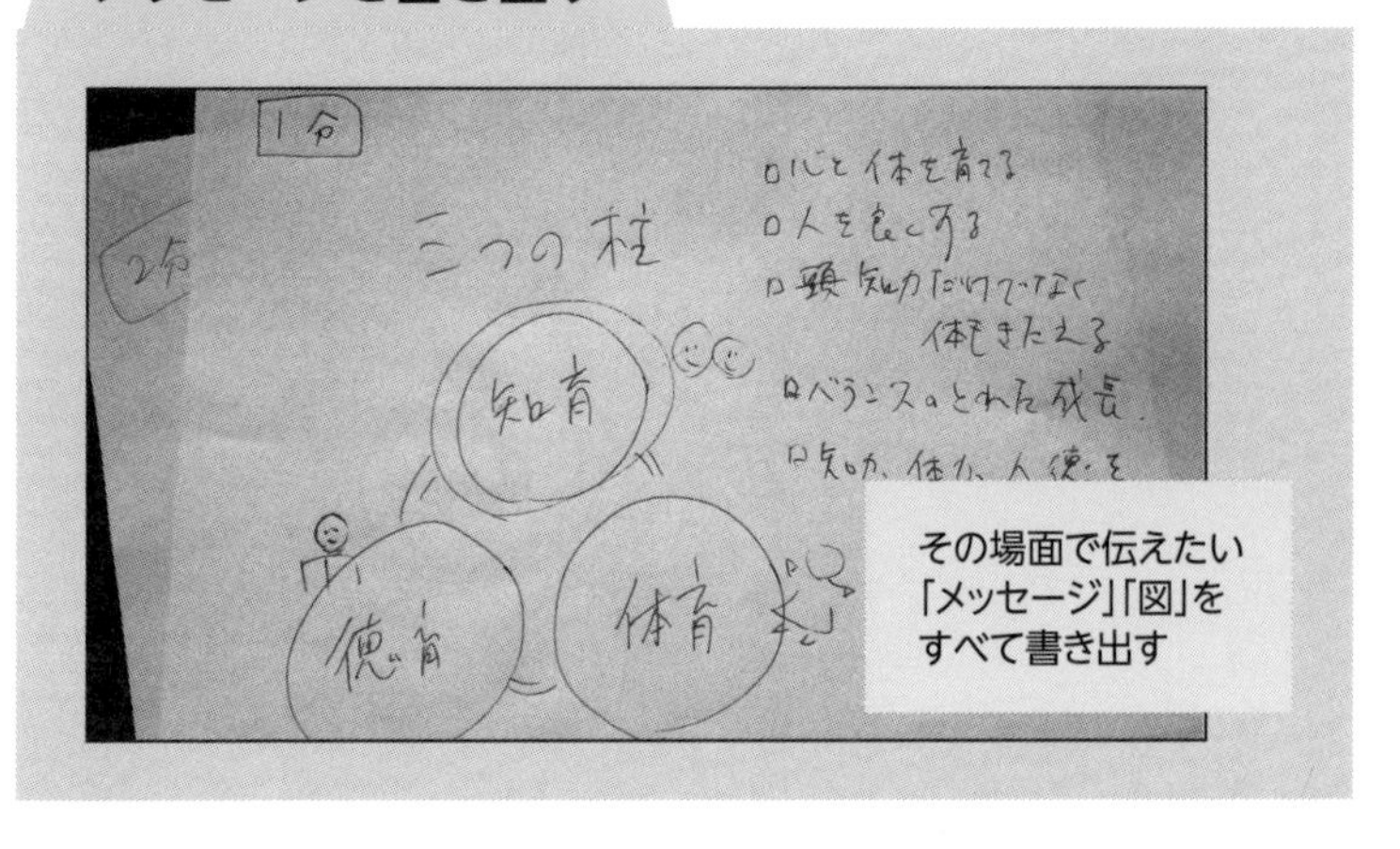

単なラフを、どんどん書き出していきます。

参考にしたい写真等があれば、各場面の紙にクリップなどでとめておきます。

バラの紙だと並べ替えできるし、追加したり、不要な場面を削ったりが自由にできます。

またプレゼンテーションが時間内に納まるように、各画面の時間配分も考慮してください。

次に書き出したメッセージや図から、スライドに書くものを絞り込んでいきます。

「1枚のスライドで伝えるメッセージは1つ」がプレゼンの大原則です。

伝えたいことはたくさんあると思いますが、聞き手はあれもこれも理解できません。涙を飲んで削りましょう。

気をつけたいのは、全体を俯瞰しながら作っていくということです。1場面ずつ完璧に仕上げていくのではなく、最後までざっと書いたらまた最初に戻って内容を詰めていくようにします。流れがよいかどうかをよく確認してください。

内容を整理したら、スライドの下書きとしてまとめましょう。ノートを8分割して、左側にスライドの下書き、右にプレゼンで話すセリフなどを書いていきます。

スライド上の**メッセージは短い文の箇条書き、あるいはキーワードで「バーン!」と訴える**のが効果的です。長い文章は誰も読んでくれません。図や写真、イラストを取り入れるとわかりやすく、見る人を惹きつけます。

下書きが完成したら、ようやくパワーポイントの出番です。下書きを見ながら、タイトルまわりのデザイン、色やフォントといった細かいことを決めていきましょう。ラフがきちんと作成されていると、短時間で効率よく作成できます。またパソコンの作業は他の人にお願いすることも可能です。

スライドの下書き

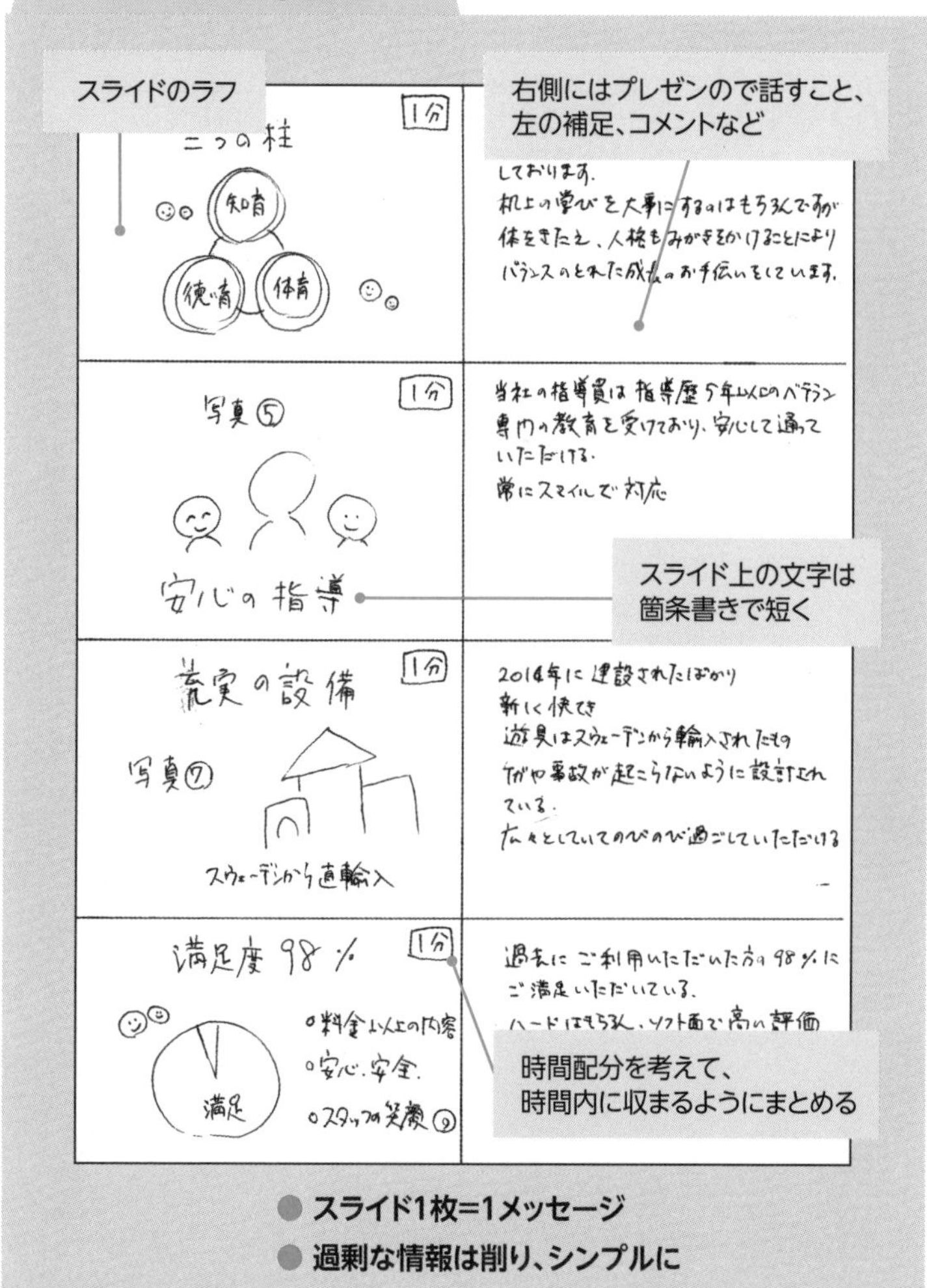

スライドのラフ
右側にはプレゼンので話すこと、
左の補足、コメントなど
1分
知育
徳育
体育
してあります.
机上の学びを大事にするのはもちろんですが
体をきたえ、人格もみがきをかけることにより
バランスのとれた成長のお手伝いをしています.
1分
写真⑤
安心の指導
当社の指導員は指導歴5年以上のベテラン
専門の教育を受けており、安心して通っていただける.
常にスマイルで対応
スライド上の文字は
箇条書きで短く
1分
充実の設備
写真⑦
スウェーデンから直輸入
2014年に建設されたばかり
新しく快適
遊具はスウェーデンから輸入されたもの
ケガや事故が起こらないように設計されている.
広々としていてのびのび過ごしていただける
1分
満足度98%
満足
○料金以上の内容
○安心・安全
○スタッフの笑顔
過去にご利用いただいた方の98%に
ご満足いただいている.
時間配分を考えて、
時間内に収まるようにまとめる
● スライド1枚=1メッセージ
● 過剰な情報は削り、シンプルに

14

イメージで情報が理解できる「図解ノート」

図解には箇条書きにはないメリットがたくさんあります。

キーワード同士の関係や、話の流れがわかりやすい。文字よりも目を引くし、記憶に残りやすい。慣れるとささっと速く書ける。情報が整理されるので「あ、あの情報抜けてるな」ということに気づきやすい、などなど。簡単なイラスト（たとえば棒人間）を添えると、見て楽しい、記憶に残るノートになります。

図解をするには、まず情報のポイントやキーワードを書き出します。そしてそれらの関係を整理し、「→」や「―」で結んでいきます。図解には148ページにまとめているようにいくつかの**基本パターンがあり、この組み合わせでたいていの情報は表現できます**。難しく考えず、とにかく手を動かして描いてみてください。

最初は、すでにメモした情報を図で表すことから始めてみましょう。図解だけですべての情報を表すのは難しいので、タイトルをつけ、必要に応じて言葉を書き添えてみてください。図解力を磨くと、プレゼンや資料作成にもきっと役立つはずです。

情報を図解する

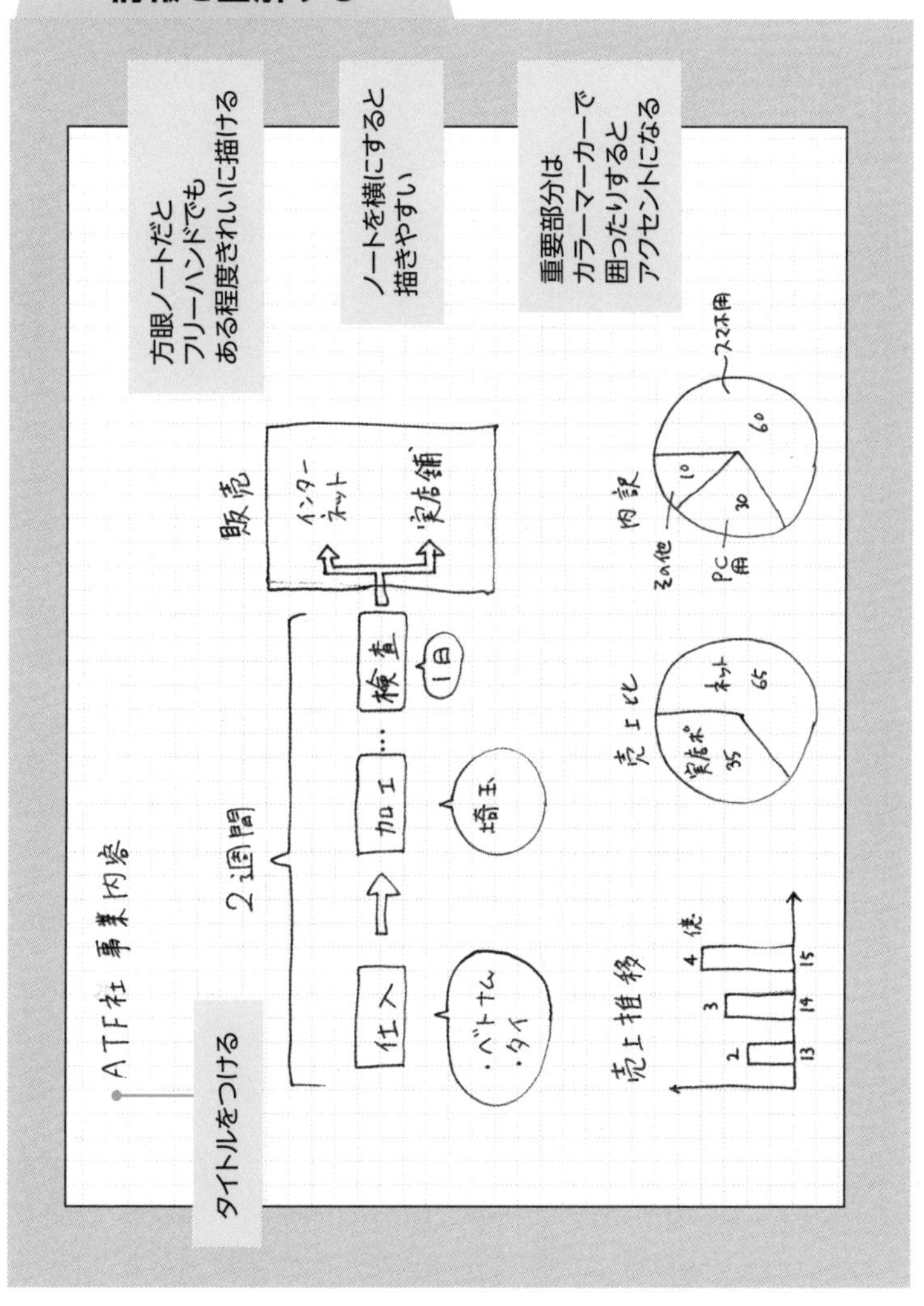

タイトルをつける
方眼ノートだと
フリーハンドでも
ある程度きれいに描ける
ノートを横にすると
描きやすい
重要部分は
カラーマーカーで
囲ったりすると
アクセントになる
ATF社 事業内容
2週間
仕入
加工
検査
販売
インターネット
実店舗
・ベトナム
・タイ
埼玉
1日
売上推移
2
3
4億
13
14
15
売上比
実店舗 35
ネット 65
内訳
その他
10
PC用
30
スマホ用
60

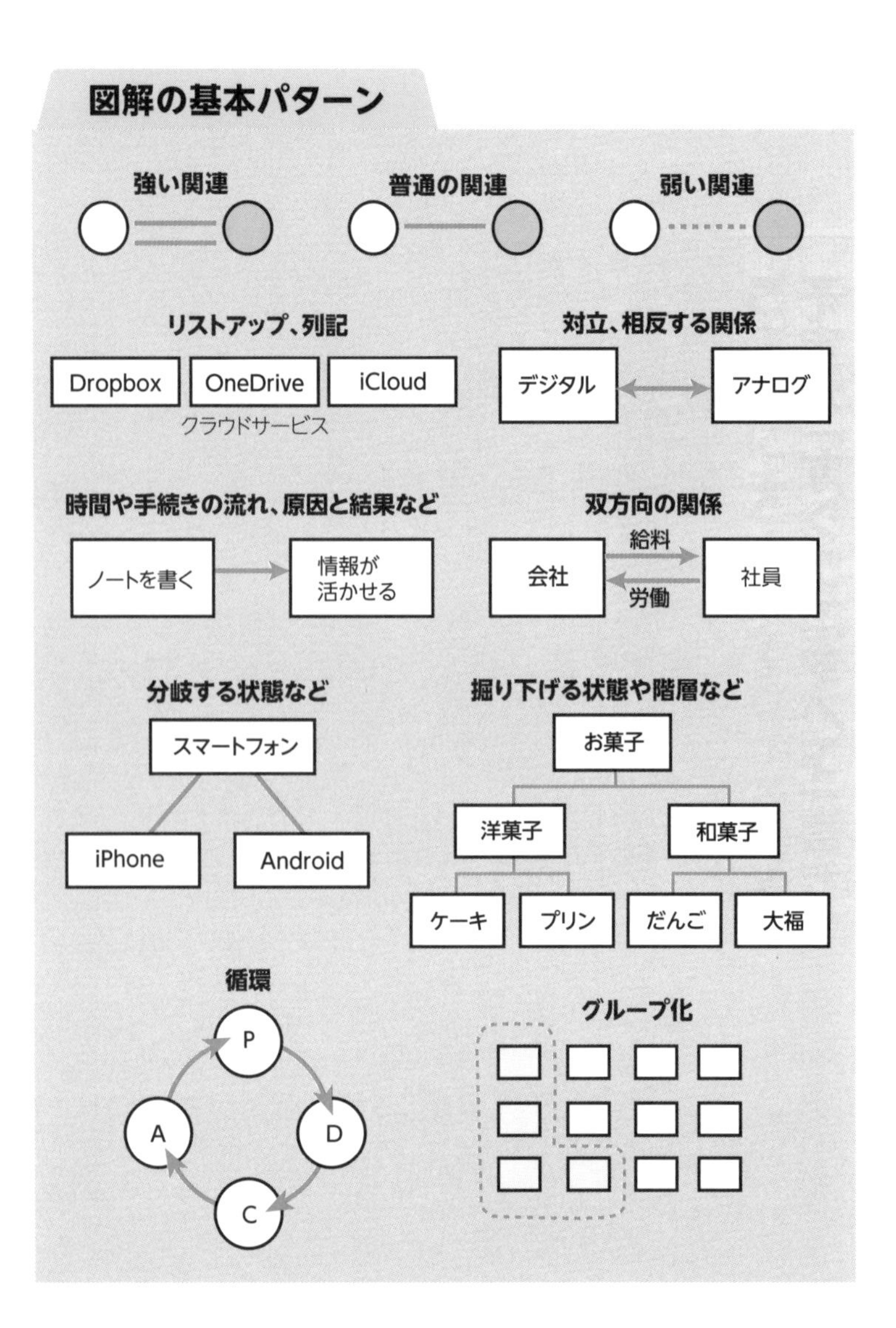

図解の基本パターン
強い関連
普通の関連
弱い関連
リストアップ、列記
Dropbox
OneDrive
iCloud
クラウドサービス
対立、相反する関係
デジタル
アナログ
時間や手続きの流れ、原因と結果など
ノートを書く
情報が
活かせる
双方向の関係
給料
会社
社員
労働
分岐する状態など
スマートフォン
iPhone
Android
掘り下げる状態や階層など
お菓子
洋菓子
和菓子
ケーキ
プリン
だんご
大福
循環
P
D
C
A
グループ化

Chapter 5

スマホでかんたん！
「デジタルメモ」を取り入れよう

01

役立つ機能満載！ 実は便利な「メモアプリ」

今、この場で「見た」「聞いた」「知った」ことを、忘れずにどう残すか。
メモ帳に書くのが基本ですが「メモ帳がすぐ手元にない」「書く前に忘れてしまう」
という人もいると思います。いったん「めんどくさい」と思ってしまうと、メモが習
慣として根付かないのです。
そんな人に試してほしいのが、スマホの「備忘録アプリ（メモアプリ）」です。
スマホやタブレットには標準のメモアプリが用意されています。
iOSなら「メモ」アプリ、アンドロイドなら「Google Keep」です。
「存在は知ってるけど、使ったことはない」とか「どうせ標準アプリは使えない」
と思っている人も多いかもしれません。
でも、実際に使ってみると「こんなに便利だったんだ！」と驚くはずです。
ひらめきはすばやくメモすることが何よりも大事、アプリなら「スマホを取り出す」
↓「ホーム画面を表示」↓「『メモ』をタップ」のわずか3ステップほどです。ふせ

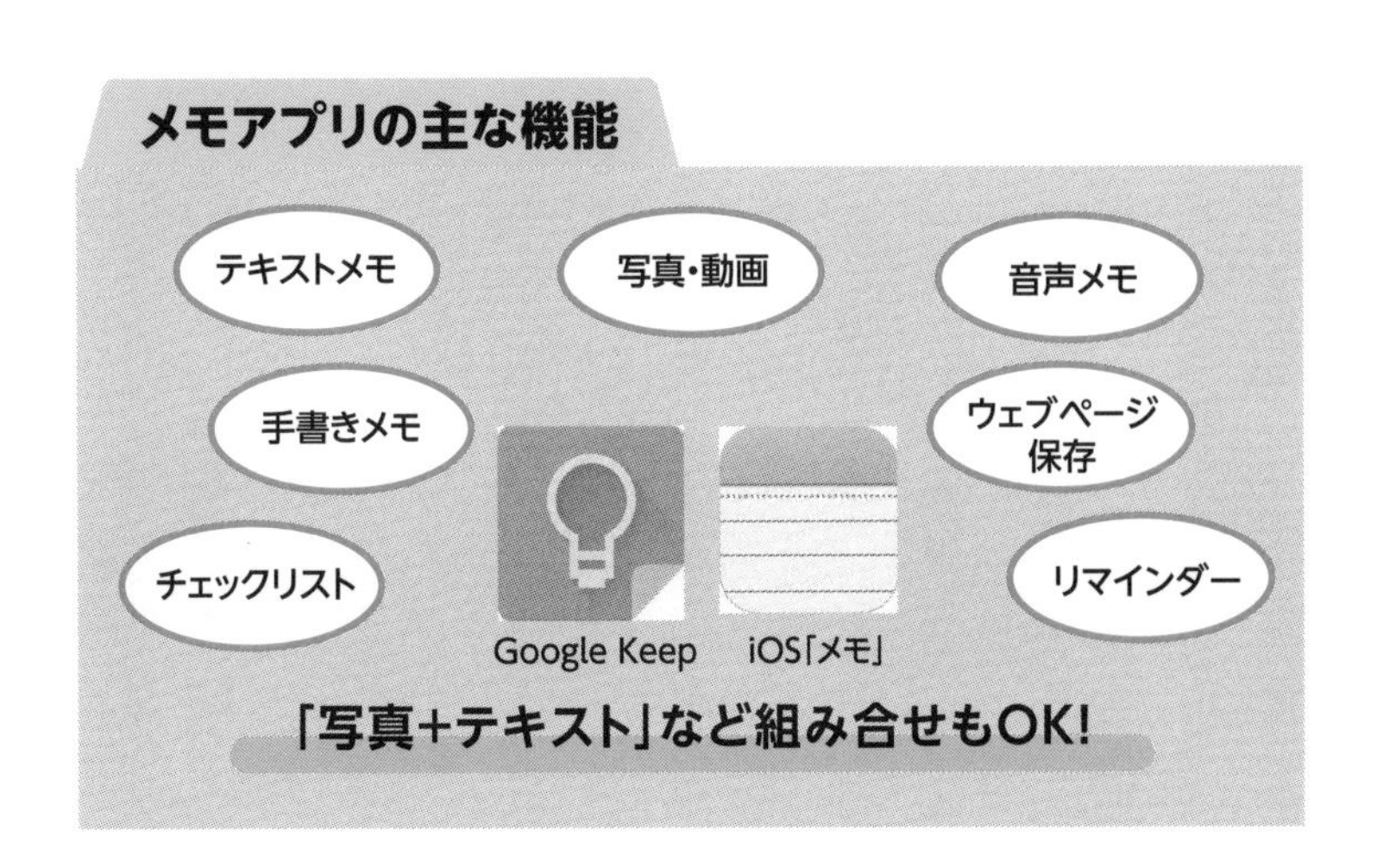

んにメモするようにパッと書けるし、必要なときにささっと読めます。

メモアプリでは「テキストメモ」以外にも「手書きメモ」「チェックリスト」「写真・動画メモ」「音声メモ」などが作成できます。

「写真にテキストや手書きでコメントをつける」といったように、**組み合わせメモも可能**な点はアプリならでは。

デジタルデータなのでかさばらず、スマホさえあればどこでもメモできます。キーワードなどで検索ができるのも大きなメリットです。

操作はシンプルで、マニュアルを見なくても基本的な機能は使うことができるはず。

アナログ派の人も、アプリのよい部分をぜひ取り入れてみてください。

02 アイコンの定位置は「右下」！メモアプリに3秒でアクセスする方法

「見た」「聞いた」「思いついた」ことをメモアプリで瞬時に記録するには、**メモまでの手順を1タップでも少なくしておく**のが基本です。

ささっとすばやくメモできる状態が、メモの習慣化に直結します。

ホーム画面がごちゃごちゃしている人は、この機会に整理しておきましょう。使わないアプリはホーム画面から削除。またはホーム画面以外に移動させます。

そして肝心のメモアプリを、スマホの**ホーム画面に配置**します。

単にホーム画面に置くだけでなく、最もタップしやすい場所に置いてください。右利きの人なら、**画面右下に置くと親指がすぐ届きます**。

こうしておけば「メモアプリどこだっけ？」と迷うことなく、すぐに起動できます。

Google Keepには、ホーム画面に設置できる「ウィジェット（アプリのショートカット機能）」があります。ウィジェットをホーム画面に置いておけば、ホーム画面で「音声」「手書き」などメモの種類を選んで、ダイレクトに入力することができます。

不要なアプリは削除。
使わない標準アプリは
フォルダに入れるなどして整理

備忘録アプリ、
よく使うアプリは、
右下に配置
（右利きの場合）

アンドロイド

不要なアイコンを長押し→
ドラッグ→削除

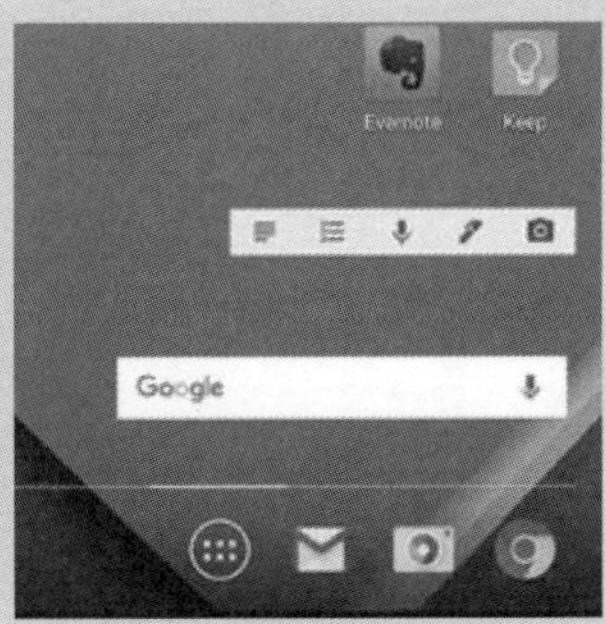

GoogleKeepの
ウィジェットを配置

03

手書きや写真もOK。iOS「メモ」アプリはとっても便利

iPhoneにはiOS標準の「メモアプリ」がインストールされています。作成したメモはiCloudに保存され、どこからでもアクセス可能。複数のデバイスから利用できます。主な機能には次のようなものがあります。

・テキスト入力したメモに写真やURL、地図、書類などを添付できる。
・音声での入力が可能。さらに音声をテキスト化することもできる。
・手書き入力が可能。ブラシや色を選んで文字やスケッチが描ける。
・チェックリストが作れる。TODOリストや買い物リストなどが作成可能。
・エクセルのようなイメージの簡単な表を作ることができる。
・書類をスキャンして保存。さらにPDF化できる。
・メモをフォルダに分類して並べ替えることができる。
・「＃会議」のように1つ以上のタグをつけて整理できる。
・個人情報や機密データにロックがかけられる。

iOS「メモ」でメモ

各種入力メニューを選ぶ

定の並べ替え→先頭行をデータの見出しとして使用する チェック 優先されるキー 地域 並べ替えのキーセルの色 順序 青選択 レベルのコピー クリック 順序 緑OK

リスト作成
フォント変更
写真とビデオの追加
手描き
音声入力

ウェブサイトの保存
「Safari」等でサイトを開いたまま共有アイコンをタップ→「メモ」をタップ→「保存」をタップ→URLが保存される

手書きメモ

ペンの種類、色などを選ぶ

リスト形式

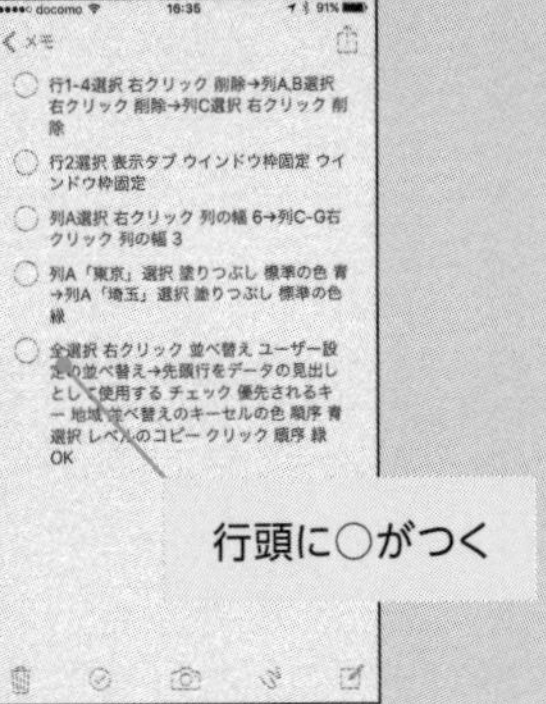

04

「Google Keep」はふせん感覚のメモアプリ

「Google Keep」にも写真や音声、手書きメモなど多彩な機能が用意されています。データはＧｏｏｇｌｅのサーバーに保存されるので、Ｇｏｏｇｌｅアカウントでログインすればパソコンから閲覧や編集ができるのも強みです。

Google Keep は**ちょっとしたことをガンガンメモして、用済みになったらどんどん捨てていく、といった用途にぴったり**です。

記録したメモは、ふせんを並べるように画面上に配置することができます。

メモには背景色が付けられるので、仕事とプライベートで色分けしたり、大事な要件は黄色にして目立たせたり、といった使い方ができます。パッと見ただけでメモの種類や大事な用件が把握できるので便利です。

また大事なメモはピン留めして、常に上部に表示させることができます。

マイクをタップすると音声での録音ができますが、録音と同時に音声をテキスト化してくれます。音声認識の精度はかなり高くなっています。

Google Keepでメモ

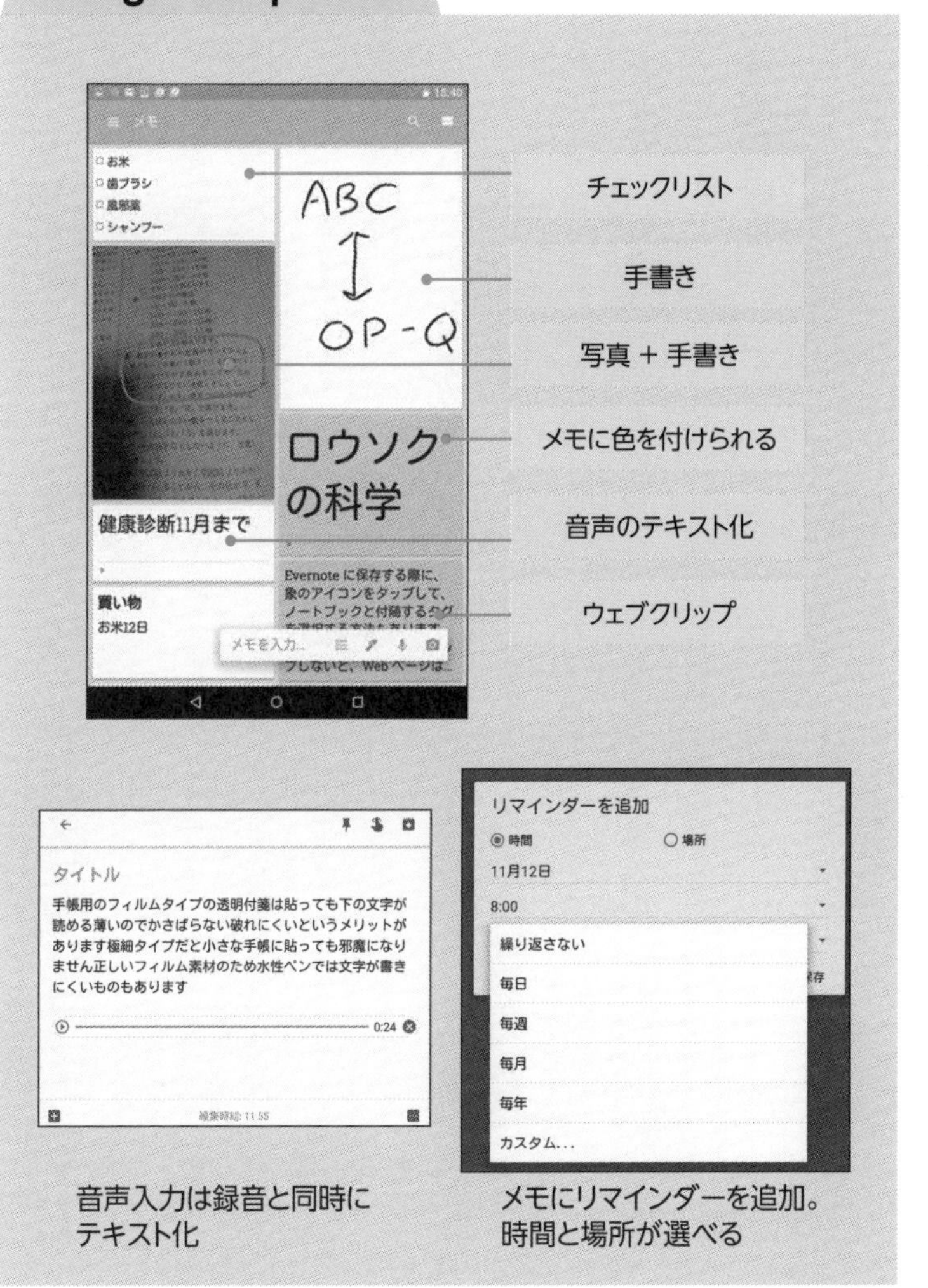

音声入力は録音と同時にテキスト化

メモにリマインダーを追加。時間と場所が選べる

05 「日時」と「場所」で教えてくれるリマインダー

大事な予定を忘れないよう、事前に教えてくれるのが「リマインダー」です。

通知方法は、iOSの「リマインダー」、「Google Keep」どちらにも「日時」「場所」の二通りあります。

①「日時」で通知

たとえば「8月3日の夕方にコンサートのチケット発売！」という場合、「チケット購入」と登録して、当日3時にアラームを設定。すると3時になったら、「チケット購入」とスマホに通知が届くので、忘れずに購入できるというわけです。

他にも「遠藤さんにメール」のようなTODOメモを入力する際に、リマインダーに日時を設定しておいて、指定した時間に教えてもらうこともできます。

②「場所」で通知

指定した場所に近づくと、登録内容を通知してくれます。

この場合は、あらかじめアプリに「場所」を登録しておく必要があります。

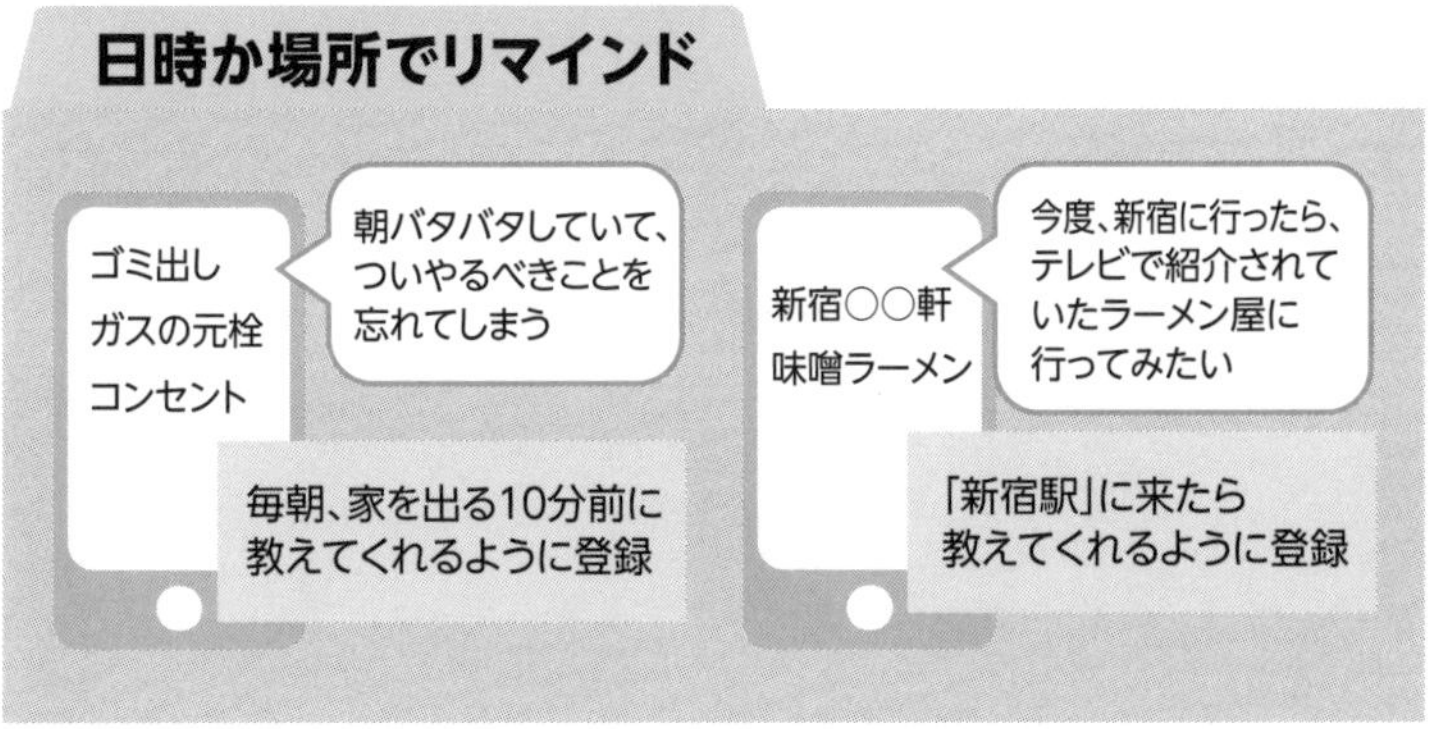

日時か場所でリマインド

ゴミ出し
ガスの元栓
コンセント

朝バタバタしていて、ついやるべきことを忘れてしまう

毎朝、家を出る10分前に教えてくれるように登録

新宿○○軒
味噌ラーメン

今度、新宿に行ったら、テレビで紹介されていたラーメン屋に行ってみたい

「新宿駅」に来たら教えてくれるように登録

たとえば「自宅の最寄駅」を登録しておきます。そして「薬局で風邪薬」とリマインダーに登録し、場所を「最寄駅」に設定。最寄駅に近づくと「薬局で風邪薬」と通知が届くのです。

同様にいつも使うスーパーの場所を登録しておき、買い物リストも作成しておいて、スーパーに近づいたときに買い物リストを表示するよう登録することもできます。

リマインダーは「音声」登録も可能です。

「Google検索」ならマイクのアイコンをタップし、「3時に電話とリマインド」のように話しかけるだけなので簡単です。

iOSのSiriでは、「明日2時に山本さんに電話とリマインド」と登録します。

音声でリマインダー登録するときは、**日付や時間を具体的に言う**のがポイントです。

06 手入力は面倒……そんなときには「声」でメモする

メモアプリは便利ですが、手で文字入力するのが面倒なら、「声」でメモしてみてください。

あらかじめSiriやGoogleアシスタントを呼びかけで起動するように設定しておけば、スマホに触れることさえなくメモすることが可能です。

運転中や、家事で手が空いていないときにもメモできます。

●iPhone「メモ」アプリに声でメモ

アプリを立ち上げ、新規メモ作成画面を開く→マイクをタップ→「ノートを買う」のようにメモしたいことを話します。

●Siriでメモ

ホームボタンかサイドボタン長押し、あるいは「Hey, Siri」で起動→「○○とメモ」「○○をメモして」のように話しかけます。「会議の資料を返却とメモ」と話しかけると「会議の資料を返却」と記録します。

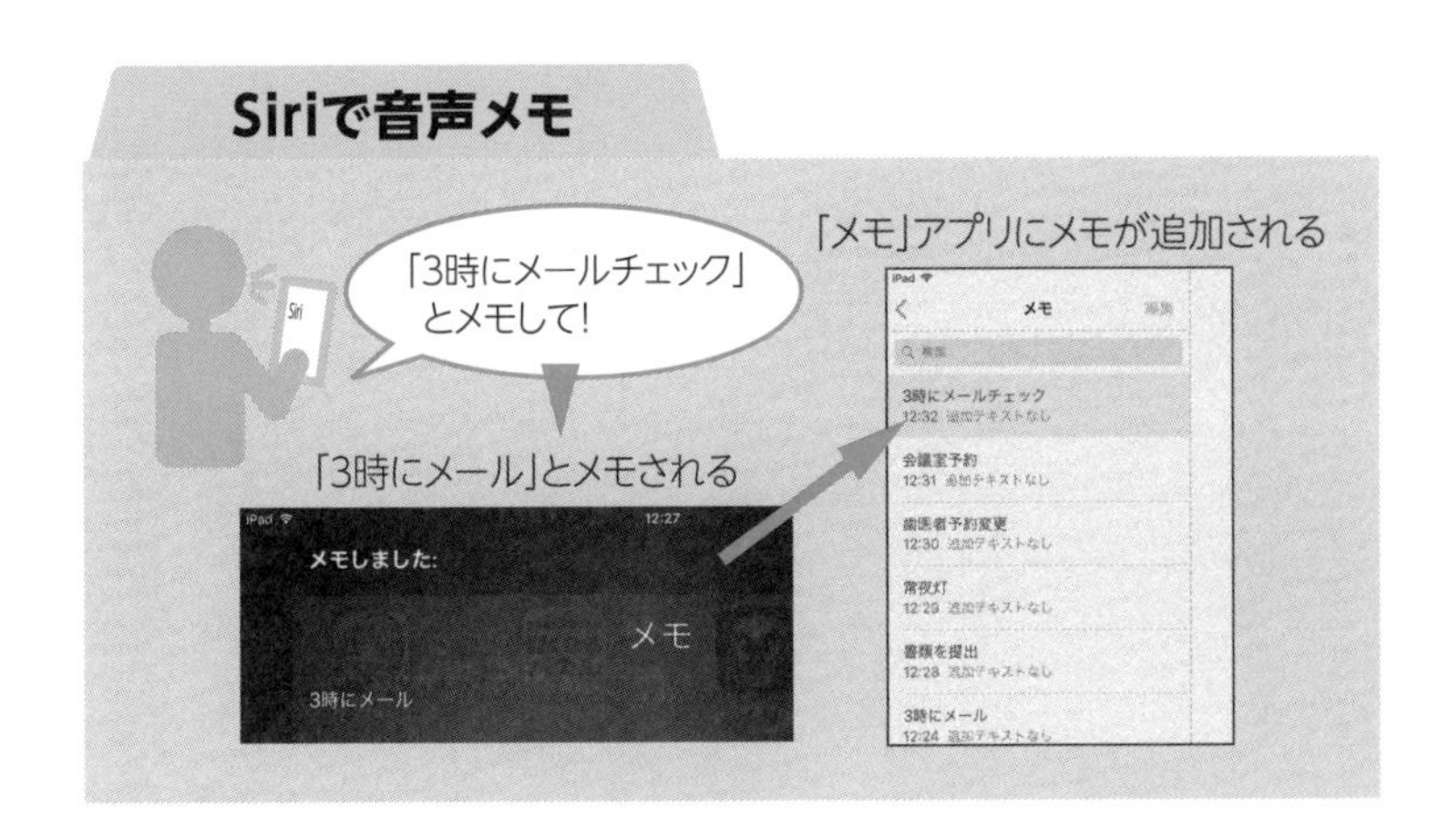

リマインダーの登録も可能です。「明日の10時にAさんに電話とリマインド」のように話しかけると、明日10時になったら「Aさんに電話」と通知が来ます。日付や時間は具体的に言うようにしてください。

●Google Keepに声でメモ

メモの新規作成画面を開く→「マイク」をタップ→「ふせんを購入」のように話します。

●GoogleアシスタントでGoogle Keepにメモ

あらかじめ設定が必要になります。Googleアシスタントの設定→「メモとリスト」→Google Keepに設定します。

あとはホームボタン長押しまたは「OK, Google」で起動→「〇〇とメモして」のように頼めばGoogle Keepに保存可能です。

07 アイデアから会議まで「音声メモ」は使い道たくさん

暗闇でもハンズフリーで入力できる便利機能が「音声メモ」です。

たとえば布団の中でふと思い浮かんだアイデアを、わざわざ起きてメモ用紙にメモするのはめんどうですよね。

でも枕元のスマホに声で記録するだけなら簡単。暗くても平気です。

音声メモが活躍する場面は他にもいろいろあります。
・おおっぴらにメモできない視察現場の様子を自分で実況。
・先輩の指示が長くて覚えられないので、録音しておいて後で聞き直す。
・トラブル防止のために会話を記録しておく。
・自分のプレゼンやスピーチの練習を録音して聞いてみる。
打ち合わせや会議を録音することも可能です。この場合、録音データをすぐに他の人と共有することができます。

参加したセミナーを録音しておけば、改めて聞き返すことも可能です。

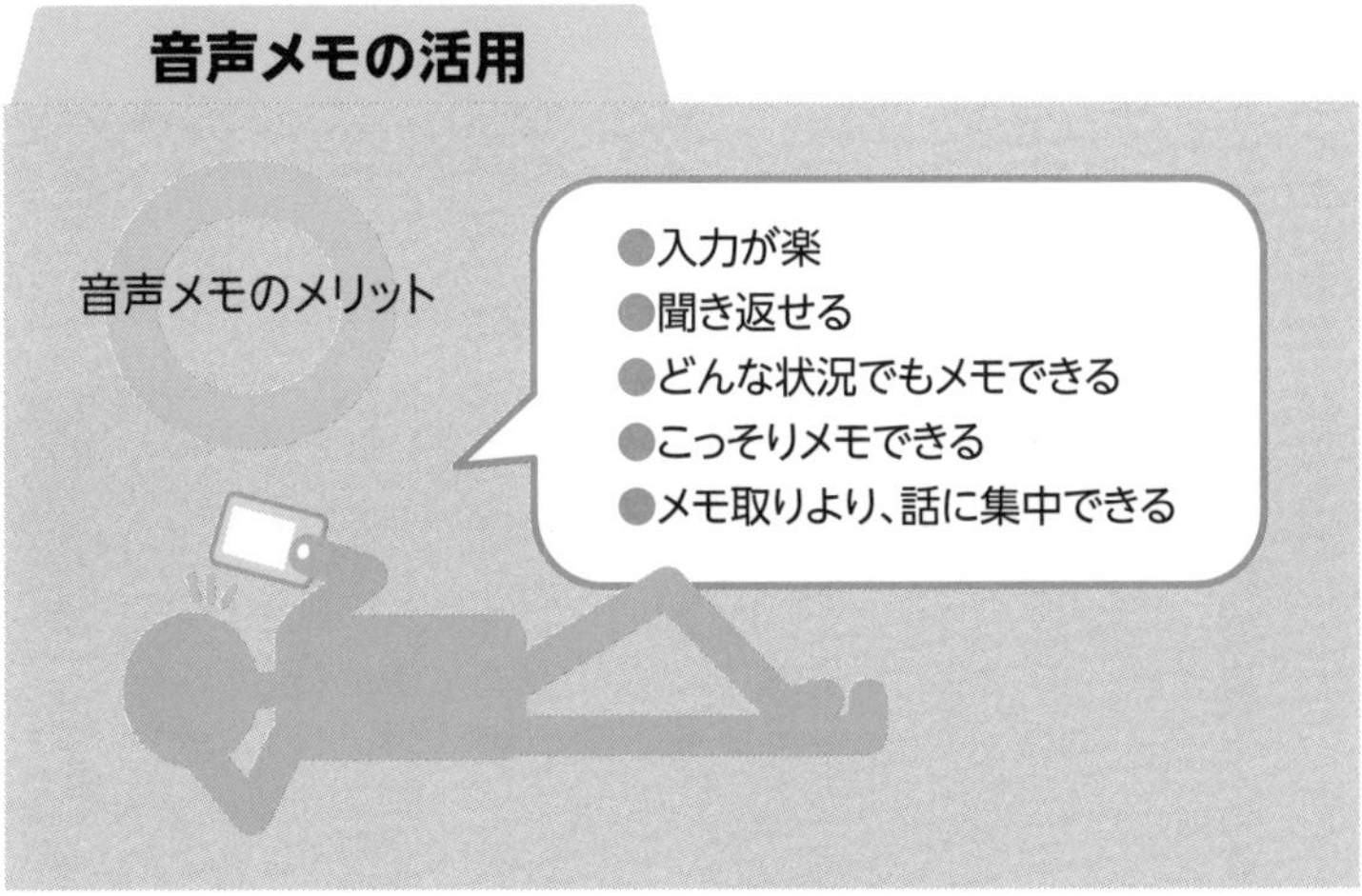

音声メモの活用

音声メモのメリット

- 入力が楽
- 聞き返せる
- どんな状況でもメモできる
- こっそりメモできる
- メモ取りより、話に集中できる

Google KeepやＳｉｒｉを使えば、音声をテキストに変換して保存できます。

音声は聞き直さないと内容が確認できませんが、テキスト化されていると見ただけで何が書かれているのかわかるし、テキストでの検索も可能になります。

●人の話を録音するときのマナー

自分以外の人の話を録音する場合は、相手の許可を取るのがマナーです。こっそり録音するなら絶対にバレないように細心の注意を払う必要があります。

また、社内規則で私物のレコーダーの持ち込みを禁止している会社もあるので要注意です。

何でもかんでも無神経に録音するのは止めましょう。

08

「議事録」も作成できる？長文の音声入力にチャレンジ

音声認識の精度は驚くほど進化しています。

100％とはいかないので編集作業は必須ですが、「Googleドキュメント」の音声入力機能などはほぼ文句のないレベルでテキスト化してくれます。

ですので、短いメモだけでなく、**報告書やブログといったまとまった文章の作成も、やり方次第では可能**になります。

この場合、あらかじめ書きたいポイントをざっくりメモしておき、それを見ながら話すとスムーズです。Googleドキュメントの場合、「、」はトウテン、「。」はマル、改行は「カイギョウ」、と読み上げて入力します。

パソコンの場合はGoogleドキュメントを開く↓「新規ドキュメント作成」↓「ツール」↓「音声入力」↓マイクをクリック。

スマホはアプリを起動↓「＋」で新しいドキュメントを作成↓マイクをタップします。

音声入力で長文を仕上げる

記号	読み方
。	まる
、	てん
（	かっこ
）	かっことじる
「	かぎかっこ
」	かぎかっことじる
？	はてな
！	びっくりまーく
改行	かいぎょう

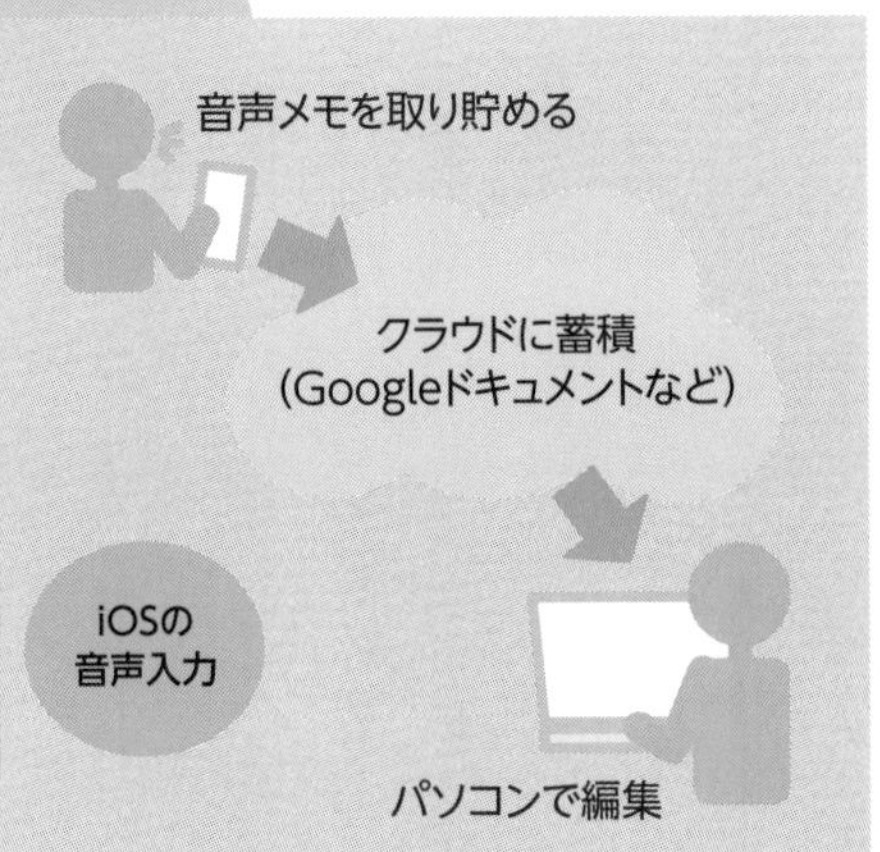

●会議の自動文字起こし

Ｇｏｏｇｌｅドキュメント等の音声入力を使い、会議中にリアルタイムの文字起こしができます。ただ沈黙時や声が小さいときに止まってしまうことがあるので、別途メモや録音が必要です。

リアルタイムではなく、録音した音声データの文字起こしも可能です。

自動文字起こしにより議事録作成の手間が省け、すばやく情報が共有でき、ペーパーレス化にも役立ちます。ただしデータの修正・編集作業は必須です。

なお、録音はできるだけ外付けマイクを使い、大きな声ではっきり話すようにしてください。事前のテストも行いましょう。

09

メモは「クラウドストレージ」に保管で再利用・共有がしやすくなる

iPhoneの「メモ」やGoogle Keepの場合、メモのデータはクラウド（インターネット）上に保存されます。

メモアプリで作成したメモ以外にも、写真や動画、音声メモ、スクリーンショットなど、デジタルメモにはいろいろあるでしょう。

その場限りのメモもあれば、後で利用、加工したいメモもあるはずです。

そこでスマホで作成したデジタルメモは、「クラウドストレージサービス」を使ってクラウド上にすべてアップロードしておくと便利です。

専用のサーバーにファイルを保存するサービスで、写真はもちろん、動画や音声など**さまざまな形式のファイルをアップロードして保管**しておけます。

メモデータが常にクラウド上に集約されていれば、「あの写真を報告書に使いたい」「音声入力したデータを議事録に仕上げたい」といったとき、データにアクセスしパソコン上で作業することができます。

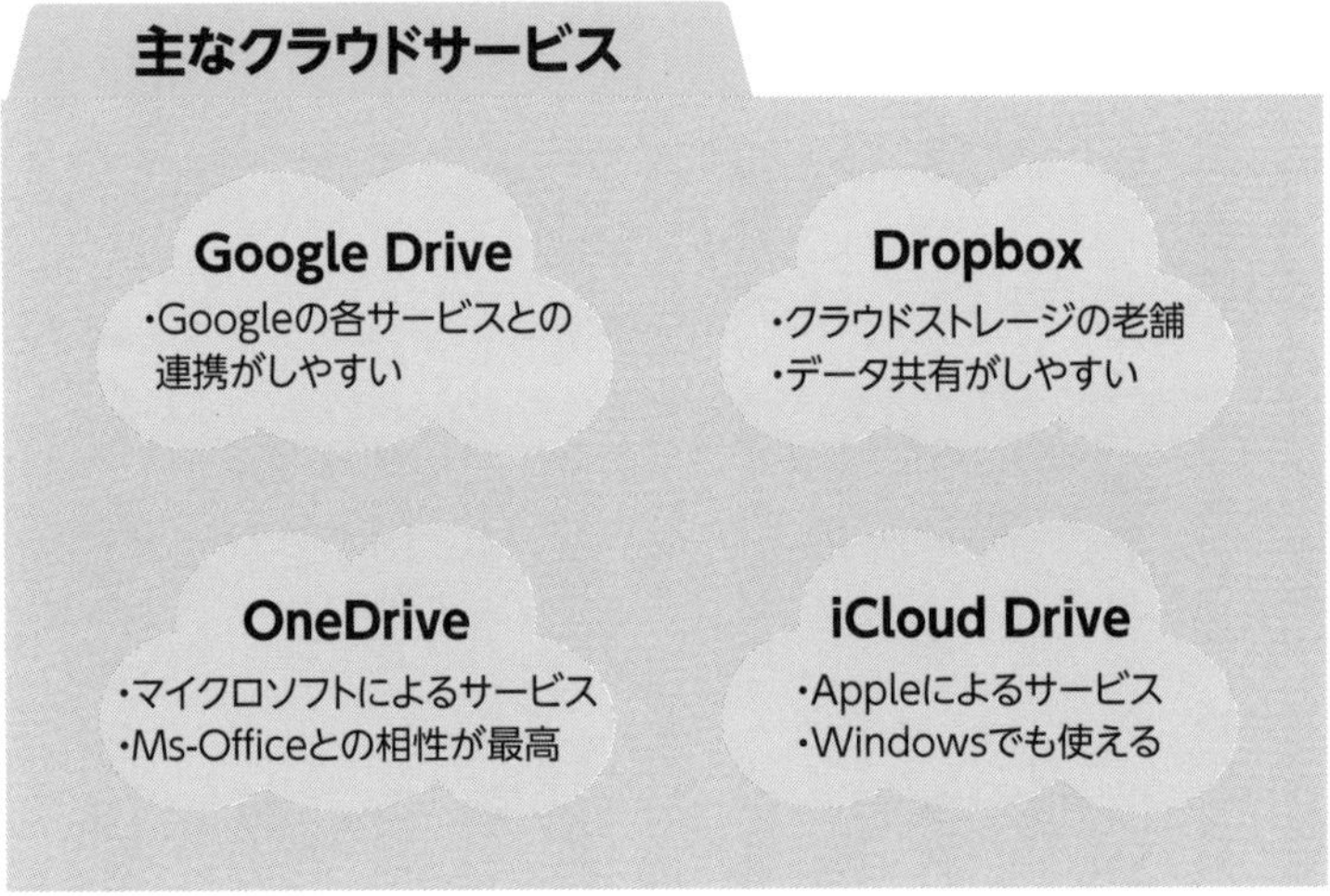

主なクラウドサービス

Google Drive
・Googleの各サービスとの連携がしやすい

Dropbox
・クラウドストレージの老舗
・データ共有がしやすい

OneDrive
・マイクロソフトによるサービス
・Ms-Officeとの相性が最高

iCloud Drive
・Appleによるサービス
・Windowsでも使える

また他の人とも共有できるので、容量の大きいデータをメールに添付して送るといった必要もなくなります。

リモートワークの際には、なくてはならない存在といえるでしょう。

●主なクラウドストレージ

個人でよく利用されているクラウドサービスには、「Google Drive」「iCloud」「One Drive」などがあります。

あらかじめ設定をしておけば、自動的にバックアップを取ることも可能です。

いずれも無料から利用できますが、データ容量が多い場合は課金が必要になります。無料の基本プランを利用する場合は、容量や保存期間についてよく確認してください。

10

スマホカメラは最強最速のメモツール

記録しておきたいことを写真や動画に撮るのは今や当たり前となりました。

掲示物やバス停の時刻表といった文字情報は、転記が面倒で、転記ミスも起こります。でもカメラで撮影すれば一瞬だし、正確に記録できます。

ホワイトボードのようにコピー機でコピーできないものでも撮影できます。

商品の色や形も鮮明に残せます。

現場の状況は文字で記録するのは大変ですが、写真や動画なら一発です。

レストランのメニューを撮影しておけば、後でゆっくり読むことができます。

紙に手書きしたメモ用紙も、撮影しておけばなくなることがありません。

機械の操作の方法などは動画を撮って、繰り返し見て覚えることができます。

「撮影日時」も記録されるので、いつのものかは明らか。

「位置情報」をつければ、撮影場所をメモする必要もありません。

撮った写真は報告書やプレゼン資料などにどんどん使いましょう。写真や動画は文

主な写真向けクラウドサービス

サービス	特徴
Googleフォト	・明るさ変更、トリミングなど高性能な編集機能も備える ・iPhoneからも利用可
iCloud フォトライブラリ	・Appleが提供しているサービス ・Androidからはやや利用しにくい
Amazonフォト	・プライム会員の特典として利用できる ・放置すると削除されてしまうことも

保存容量や保存期間は要確認

字よりもリアルに状況を伝えられるし、見る人を惹きつけます。

写真を見るとそのときのことを鮮明に思い出せるので、報告書も効率よく作成できるはずです。

●気をつけたい写真・動画撮影のマナー

仕事の訪問先等で写真撮影をする際には、「写真を撮らせていただいていいですか？」とひとこと断るようにしてください。

撮影不可という対象物や場所もきっとあるはずです。

またスマホが普及した今でさえ、「スマホは遊び道具」という認識の人は存在します。相手の心象を悪くすることもあるので、最低限の気遣いは忘れないようにしてください。

11

写真を迷子にしないデータの整理方法

撮りだめた写真の中には大事なものもあるでしょうから、スマホ本体に入れっぱなしではなく、バックアップを取ることは必須です。

バックアップ先としてはパソコン、外付けＨＤＤ、ＤＶＤ、ＳＤカードなどが考えられますが、破損や劣化、紛失といったリスクがあります。

そこで「クラウドストレージ」へも併せて保存しておくのが安全です。主なサービスには「Ｇｏｏｇｌｅフォト」「Ａｍａｚｏｎプライムフォト」などがあります。初期設定さえしておけば、あとは自動的にバックアップを取ってくれます。

●大量の写真はざっくりフォルダ分け

写真や動画は調子に乗って撮影していると、どんどんたまってしまいます。

そこで定期的にざっとチェックして、不要なものは削除するようにしましょう。

保存分は「フォルダ」で分類するのが基本です。

どのように分類するかは人によりますが、「２０２×年」のように1年ごととか、「仕

フォルダ分けはシンプルに

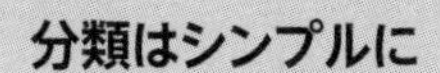

・大きな分類でOK

階層は浅く

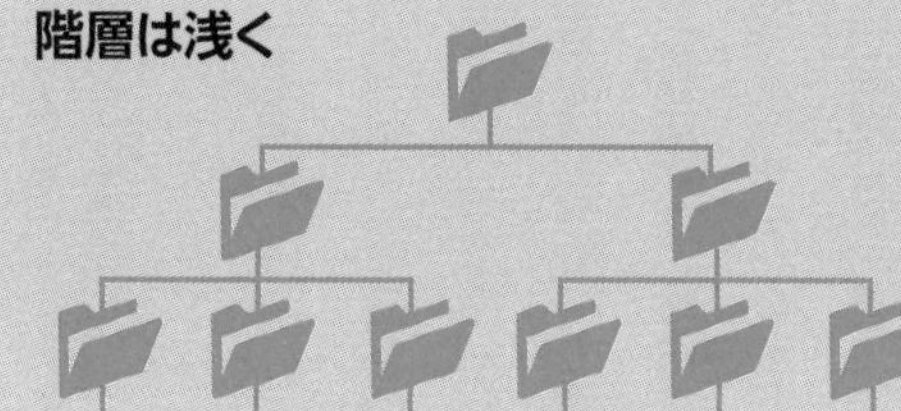

・階層を深くしすぎない
・2〜3階層までが理想

事」「家族」「それ以外」のようにとりあえずは大きくフォルダ分けします。フォルダを増やしすぎると全体が把握しにくくなります。また「この写真はどこに分類したらいい？」と悩むことも増えるので、整理が面倒になってしまいます。

フォルダの階層を深くしすぎると写真を探しにくくなります。「旅行」フォルダの中に「○○年沖縄」フォルダを作るというように、2、3階層までにしておきましょう。

Googleフォトなどで写真を管理している場合は、撮影日時での並べ替えや、「海」「オフィス」などのワード検索も可能ですから、あまり細かく分類しなくても目当ての写真を探し出すことが可能です。

12

書類や写真の文字は「OCR機能」でテキストデータ化

スマホアプリで写真を撮るだけで、書類や写真の中の文字を簡単にテキストデータ化できる「OCR」という技術があります。

紙の資料、説明書、名刺や領収書などに書かれた文字情報は**スマホで撮影しOCRでテキスト化すれば、大幅に作業を効率化**でき、入力ミスも起こりにくくなります。OCR技術は日々進化していて、手書き文字をテキスト化できるアプリも登場しています。

他にもOCRで文字をテキスト化することには次のようなメリットがあります。

・データ化すれば置き場所をとらない。
・文字での検索が可能になる。
・再利用がしやすくなる。

書類や写真の中の文字をテキストデータ化することで、ほかの場面にコピペして使用したいときに作業が楽になります。名刺やチラシのメールアドレス、URL等をテ

Googleレンズで文字をデータ化

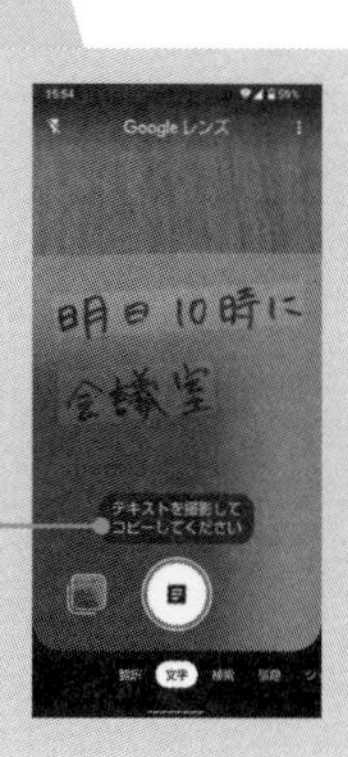

キスト化、そこからメールの作成画面を開く、サイトを開くといったことも可能です。

なお、文字認識の精度は100%ではありません。元の文字がかすれていれば、読み取りがうまくいかない点は注意が必要です。

●Googleレンズ

Googleフォトなど Googleのアプリに搭載されているカメラ機能で、アプリ版もあります。

検索窓右にあるアイコンをタップ→画面下の「テキスト」を選択→テキスト化したい文章を撮影→文字がテキスト化されます。

●LINE

LINEにも文字認識の機能があります。

トーク画面を開く→カメラをタップ→「文字認識」を選んで撮影します。

13

使い慣れたGメールは「下書き」でメモする

「メモアプリは便利そうだけど、今さら使い方を覚える気にならない」という人も、使い慣れた「Gメール」でなら気軽にメモできるのではないでしょうか。

Gメールは、高機能で容量も大きく、仕事にも使えるウェブメールです。ウェブメールとは、メールがパソコン内ではなくインターネット上に保存されるサービスのこと。ネット環境があれば、いつでもどこでもメールの送受信ができるのが特徴です。

このGメールの「下書き」機能を、メモ帳として使うのです。

まず「メールを作成」を選んで、**メール本文にメモを入力**するだけ。「宛先」「件名」は入力不要です。これでメモはメールの下書きとして無事保存されます。短いメモはもちろん、ある程度の長さのある文章でも、じゅうぶんに書くことができます。

下書きも同期されるので、パソコン、スマホなどGメールが使える環境なら、最新の下書きメールを読んだり修正したりできます。

書いたメモを読み返すときは、「下書き」を選ぶと、作成順に時系列で表示されます。

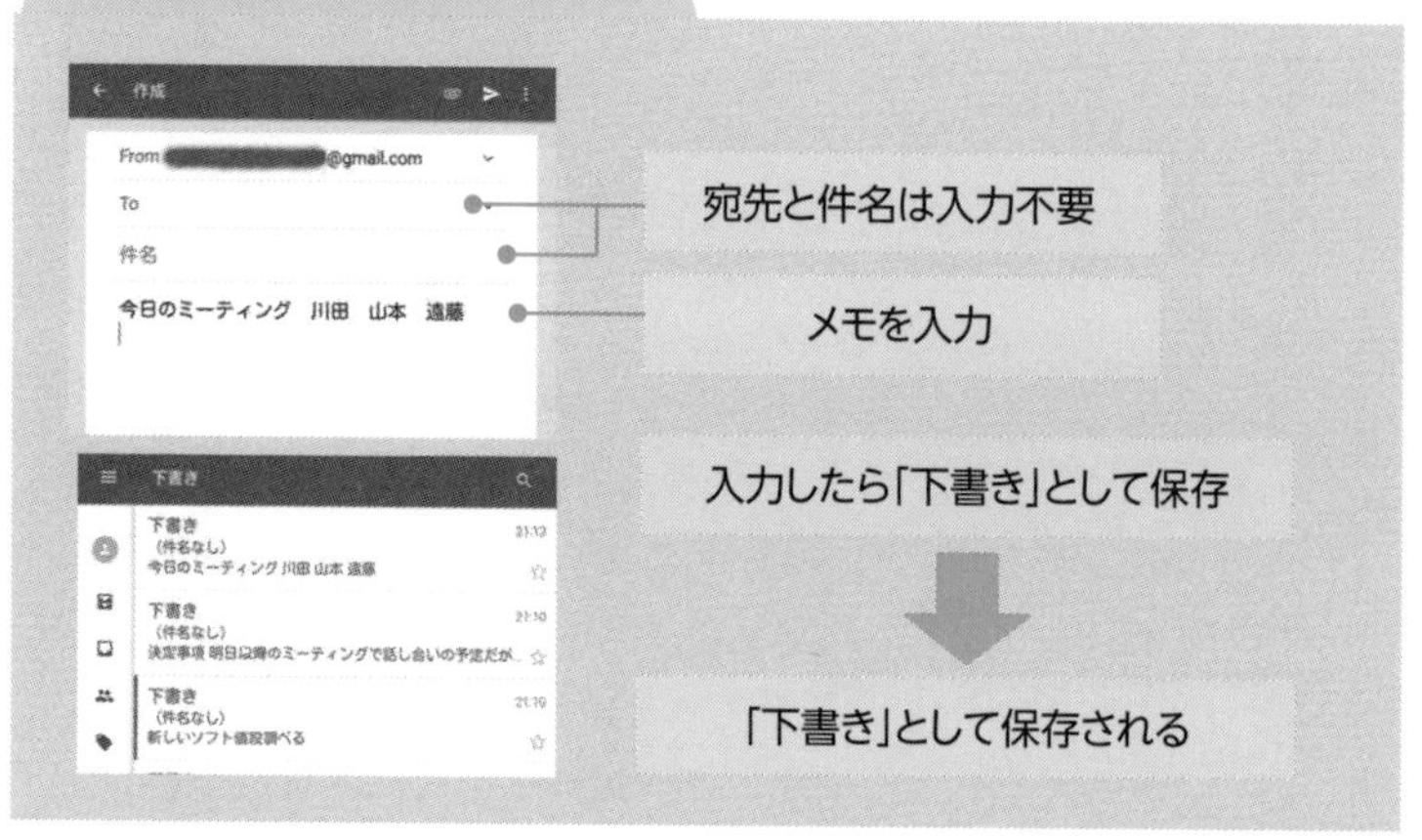

メモに追加や修正をしたいときは、下書きを開いて入力し、保存します。

エクセルやワードのファイルは、「添付ファイル」にして保存してください。

以前から、メモをメールに書いて自分あてに送る方法は使われていました。しかし宛先入力が必要だし、追加情報があれば新たにメールを作成して送らなければなりませんでした。

でもGメールなら追加メモは続きから書けるし、宛先入力も不要。検索もバッチリです。

メモはクラウド上に保存されるので、消さない限りは行方不明になることもありません。スマホやパソコンが壊れても平気です。

普段Gメールを使っているなら、メールチェックのついでにメモのチェックができます。

コラム

LINEのメモ機能を使ってみよう

おなじみのLINEに「keepメモ」という機能が追加されました。

これは自分だけのトークルームです。通常のトークルームと同じようにメッセージを入力して送信するだけで、簡単にアイデアなどを書きとめることができます。テキストだけでなく、写真、動画、音声、位置情報なども記録できます。

「keepメモ」はトークルームの1つとして表示されます。

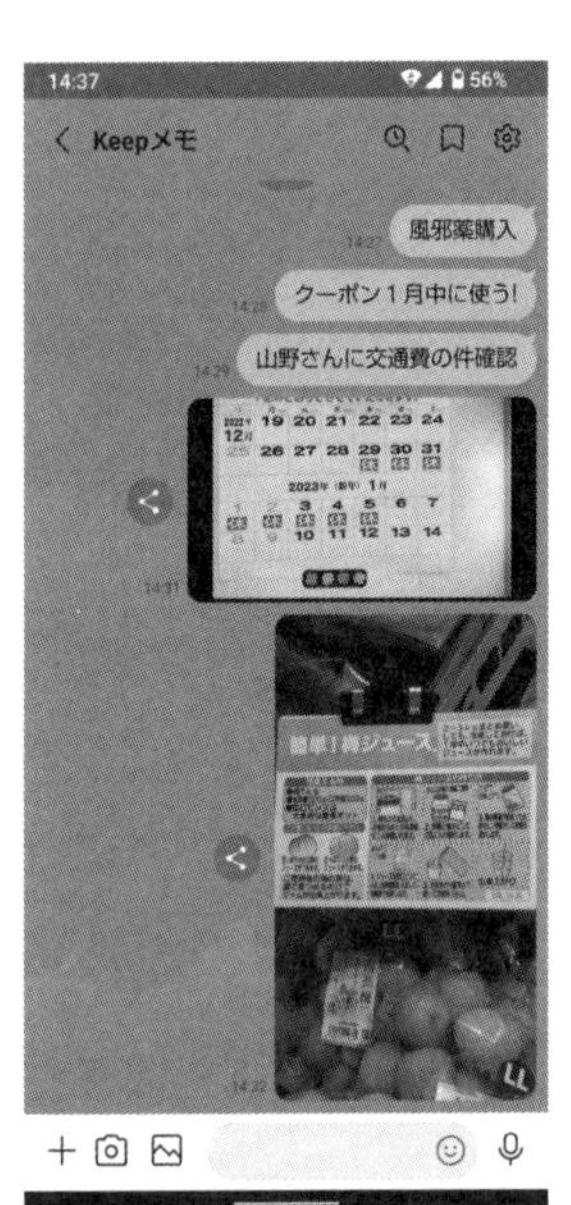

初めて「keepメモ」を利用するときは、トークタブ上の検索窓に「keepメモ」と入力すると、トークルーム一覧に「keepメモ」が表示されます。ここをタップすればすぐに入力できます。

また「keepメモ」をピン留めしておけば、常にトークルーム一覧の一番上に表示しておけます。「keepメモ」を長押し→「ピン留め」をタップしてください。

「今から新しくメモアプリの使い方を覚えるのはめんどくさい」という人は、使い慣れたLINEでメモしてみてはいかがでしょう。

Chapter 6

誰にでもできる！
シンプル「英語メモ」に挑戦

01

日本語より速く書ける？「英語メモ」にはメリットたくさん

さらなるステップアップを目指す方には、「英語メモ」を提案します。たとえば、手帳のスケジュールやTODOを、英語で書いてみるのです。別に難しいことはありません。予定表に「会議」と書くところを、「meeting」と書く、あるいは略して「mtg」と書くだけでいいのです。

すべてを英語で書く必要はありません。簡単なところだけ、あるいは日本語に英語を書き添えるだけでじゅうぶんです。大事な用件は日本語で書き、プライベートなどで重要度の低い情報のみ英語でメモすれば、英語に不慣れな人でも安心です。

「英語を勉強したい」と思っても、まとまった勉強時間を確保するは大変です。また、参考書などでインプットした知識を実際に使ってみる場面は多くありません。でも「英語メモ」ならすきま時間に取り組めるし、仕事や生活に役立つ形でアウトプットができるのです。毎日少しずつ読む・書くことで英語に慣れ、ボキャブラリーも着実に増えていきます。

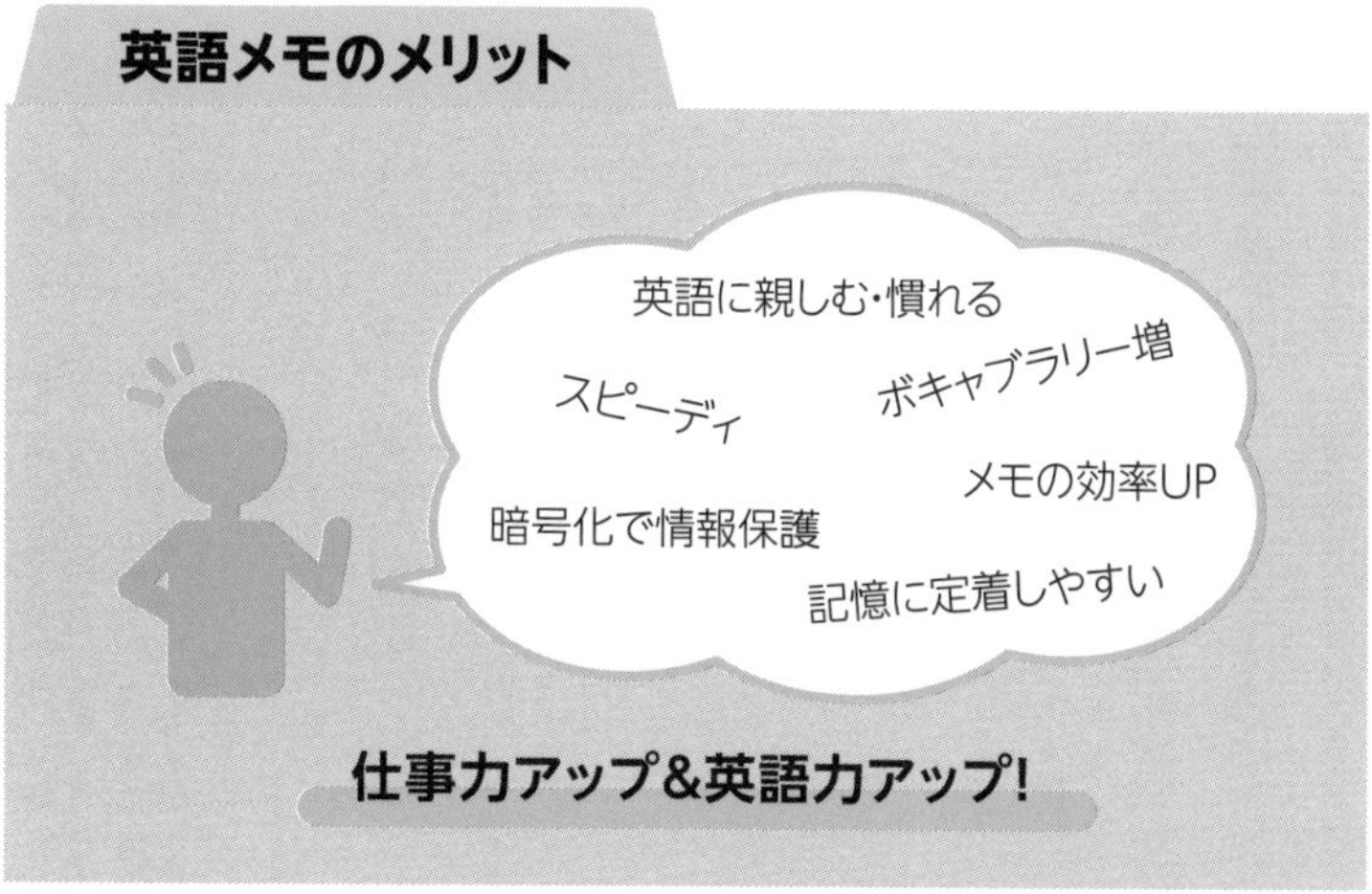

英語メモのメリット

メリットはこれだけではありません。

まず漢字に比べて**英語はサラサラ速く書けるので、メモの効率が上がる**ということです。たとえば「電話」は「call」、「議題」は「agenda」でいいのです。英語の「略語」を使えば、さらに速く書けてしまいます（185ページ参照）。

英語で書くと、**情報が他人にわかりにくくなる**のもメリットと言えるでしょう。他人に見られたくない予定や情報は英語で書くことで、情報の保護にもなるというわけです。

英語メモを続けるコツは、細かい点にこだわりすぎないこと。メモは自分だけが読むものです。「これで合ってるかな？」と思っても、思い切って書いてみてください。**とにかく書いて、英語に慣れる。**これが最初の目標です。

02 スマホでかんたん！わからない単語・表現を一発検索

「○○は英語で何て言うんだろう？」「スペルはこれでいいのかな？」と思ったときは、**必ず調べる**ようにしてください。これが英語メモで語彙を増やすコツです。

Ｇｏｏｇｌｅ検索の場合は、「請求書　英語」のように、**調べたい言葉のあとに「英語」を入力して検索**するだけ。同時に「発音」を聞くこともできます。

『英辞郎』などの「辞書アプリ」や「オンライン辞書」で調べるのも王道です。

「この表現で合ってる？」と思ったときは**「画像検索」でその語の意味するところを確認**してみてください。たとえば「『会議』は「conference」と「meeting」のどっちだろう？」と迷ったら、「Ｇｏｏｇｌｅ画像検索」で両方とも調べてみます。

すると「conference」は大ホールに何百人も集まっている画像、「meeting」はもっと少人数の集まりの画像が表示されます。そこで「自分が言いたいのはmeetingのほうだな」ということがイメージでわかるのです。

ＴＯＤＯや日記に簡単な文を書くときは**「Google翻訳」や「Deep L」**が役

単語や表現を調べる

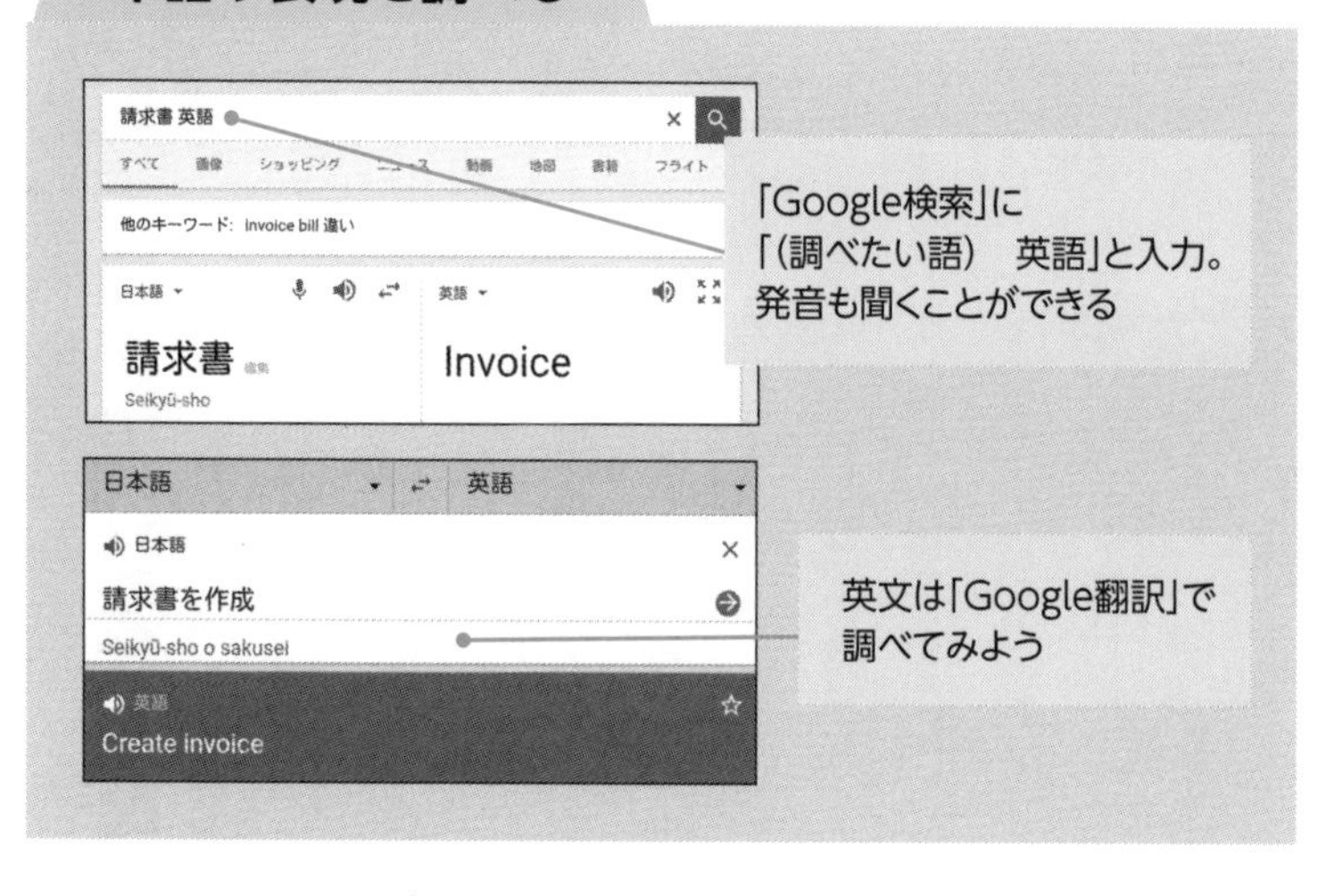

立ちます。翻訳の精度も、現在は劇的に上がっています。

とはいえ、翻訳がどうも微妙なときは「その表現が実際に使われているのかどうか」をGoogle検索で調べてみましょう。

たとえば、check documentsのように2つ以上からなる語句を調べるときは、"check documents"のように**" "（ダブルクオーテーション）で囲んで検索**します。すると、その語句が「ひと続き」で使われている英文がだーっと表示されるはずです。

ここでたくさんの英文がヒットしたら、「よく使われている表現」と考えていいでしょう。逆に少ない場合は怪しいということになります。

03 英語で「ひとこと」だけメモしてみよう

最初から英語メインでメモを書くのはハードルが高いかもしれません。

まずは**日本語の書類やメモに、英語を少しだけ書き添える**ことから始めてみましょう。

たとえば資料の重要部分にラインを引いて、「important!（重要）」とか、「check（チェックする）」のように書き込んでみます。この程度なら多少の間違いがあっても、まったく問題ありません。

また日本語のメモに**英語の接続詞を取り入れてみる**のもおすすめです。

たとえば「or（あるいは）」や「and（そして）」なら、「A案 or B案」「3月 and 9月」のように、記号のような感覚で使えます。書くのも速くて楽です。

ほかにも「but（しかし）」「then（そこで）」「so（その結果）」「because（なぜなら）」「in short（要するに）」といった**英語の接続詞を使いながらメモ**を取ると、メモ全体の話の流れがわかりやすくなります。

英語でひとことメモ

done	処理済み
very important!!	とても重要!!
ask Yamada-san	山田さんに聞く
ASAP	できるだけ早く
double-check!	入念にチェック!
remember	忘れずに
submit report by Oct. 5	10月5日までに報告書を提出
subject to change	変更の可能性あり

訳(上から)

check!

- □not very important　さほど重要でない
- □don't forget　忘れない
- □must～　～しなければならない
- □ASAP (=as soon as possible)　大至急
- □to be decided / undecided　まだ決まっていない
- □review　見直す、再検討する
- □subject to change　変更の可能性あり
- □to do　これから処理
- □doing　処理中
- □done　処理済み
- □urgent　緊急
- □by (日付)　～までに(期限)

04

英語の「略語」でメモをスピードアップ！

メモは英語の**略語を使うとさらに速く書けます。**

たとえば「会議」はmeetingですが、これをmtgと略して書きます。

同様に「報告書report」はrepでＯＫ。

書き込みスペースの節約にもなるので、**小さい手帳への記入に使うと便利**です。

「mtg」などは広く使われている略語ですが、**自分で略語を作ってもかまいません。**

特に、長くなりがちな人名や地名は、決まった略語を考えておくと楽です。

たとえば「Nihonbashi station（日本橋駅）」はNHB St、「勅使河原さん」はMr. TGRなどです。略語化に決まったルールはありませんが、母音を省略することが多いようです。

なお、英語でメモを書くだけでも他人にはわかりにくくなりますが、**略語にするとより情報は暗号化されます。**遊びの予定や、知られたくない用事などは、略語化して書いてしまうと、他人にはまずわかりません。

メモに使える英略語

□mtg	meeting	会議
□appt	appointment	アポ、約束
□conf.	conference	大きな会議
□ow	overtime work	残業
□dept.	Department	～部
□Sales Dept.	Sales Department	営業部
□Div.	Division	～課
□rm	room	部屋
□msg	message	メッセージ
□info	information	情報
□ms	manuscript	原稿
□info	information	情報
□mob	mobile phone	携帯電話
□Net	Internet	インターネット
□mdse	merchandise	商品
□ad	advertisement	広告、広告物
□Co.	Company	会社、企業、法人
□ex	for example	たとえば
□@	at	～で
□w/	with	～といっしょに
□w/o	without	～なしで
□#	number	番号
□tho	though	～にもかかわらず
□add	address	住所
□bldg	building	ビル
□hosp.	hospital	病院
□St.	street	通り
□SC	shopping center	ショッピングセンター
□Mt.	mountain	山
□approx.	approximately	ほぼ、大体
□biz	business	ビジネス
□Attn	attention	～あて
□frm	from	～から
□FW	forward	転送する
□PS	postscript	追伸
□JIT	Just In Time	時間ちょうど
□1st	first	第一に
□2nd	second	第二
□y/o	years old	～歳の
□b-day/B.D.	birthday	誕生日
□yr	year	年
□mo.	month	月
□wk	week	週
□anniv.	anniversary	記念日
□Sun.	sunday	日曜日
□Mon.	Monday	月曜日
□Tue.	Tuesday	火曜日
□Wed.	Wednesday	水曜日
□Thu./Thur.	Thursday	木曜日
□Fri.	Friday	金曜日
□Sat.	Saturday	土曜日
□Jan.	January	1月
□Feb.	February	2月
□Mar.	March	3月
□Apr.	April	4月
□May	May	5月
□Jun.	June	6月
□Jul.	July	7月
□Aug.	August	8月
□Sept.	September	9月
□Oct.	October	10月
□Nov.	November	11月
□Dec.	December	12月

05

「チェックリスト」を英語で作り、ボキャブラリーを増やそう

「買い物リスト」や「欲しいものリスト」のようなリスト形式のメモは、基本的に名詞を並べて書くだけです。スペルに気をつければよく、文法で悩む必要はほとんどありません。

すでに手帳に書いてあるリストがあったら、暇なときに英語を書き添えてみてください。「これは英語で何て言うんだろう?」と思ったら、面倒がらず調べて書く。この積み重ねで、少しずつボキャブラリーが増えていきます。

チェックリストは繰り返し見るものですから、単語を覚えるのには最適です。さらに、自分のプライベートや仕事でよく使用する単語を中心に覚えられるというのもメリットです。

「買い物リスト」(Shopping list)、「欲しいものリスト」(Wish list)、「持ち物リスト」(Things to bring)など、自分に必要なリストにぜひ英語を併記してみてください。

英語でチェックリスト

Things to Bring (Business Trip)

☐laptop computer&adapter
☐battery charger
☐writing materials
☐business cards
☐change of clothes
☐toothbrush & toothpaste
☐wallet & credit card
☐driver's license
☐train ticket / plane ticket
☐stomach medicine
☐folding umbrella
☐health insurance card
☐earplugs

訳
持っていくもの(出張)
☐ノートPC &アダプター
☐充電器
☐筆記用具
☐名刺
☐着替え
☐歯ブラシ&歯磨き粉
☐財布&クレジットカード
☐運転免許証
☐電車／飛行機のチケット
☐胃薬
☐折りたたみ傘
☐健康保険証
☐耳栓

check!

☐書類	document
☐資料	material
☐配布資料、プリント	handout
☐参考資料	reference material
☐報告書	report
☐契約書	contract
☐企画書	proposal
☐見積書	written estimate
☐領収書	receipt
☐請求書	invoice / bill
☐封筒	envelope
☐はがき	postcard
☐切手	postage stamp
☐メモ帳	notepad
☐ノート/ 手帳	notebook
☐ふせん	sticky note
☐便箋	letter paper
☐修正テープ	correction tape
☐蛍光ペン	highlighter
☐クリアフォルダー	plastic folder
☐旅行カバン	luggage
☐航空券	air ticket
☐貴重品	valuables
☐スマホ	smartphone

06

英語で「スケジュール」を記入してみよう

手帳へのスケジュール（schedule）記入も、ほぼ単語を書くだけなので簡単です。書き込みスペースの少ないマンスリータイプには、略語が役に立ちます。

新しい手帳を購入したら、会社の行事、自分や家族の予定、給料日やゴミの日、家賃の支払い日などをすべて記入しましょう。年度始めに書いてしまい繰り返し見ることで、書かれた単語を自然と覚えます。

人の名前にはMr.（男性）やMs.（女性）をつけますが、Takano-san（高野さん）でもOK。親しい人やファーストネームにはMr.やMs.はつけません。

また、日本では「山田部長」のように名字に役職をくっつけて言いますが、英語ではMr.YamadaのようにMr.やMs.をつけるだけ。もし役職をつけたい場合は、Yamada-Bucho（山田部長）のように日本語そのままでかまいません。

なお、重要な用件については、日本語を併記するのを忘れずに。後で「これ何だっけ?」とならないように、注意してください。

スケジュールを記入する

Mon	Tue	Wed
1	2 Mtg @M.R. 4pm	3 Lunch w/ Tamai
8 Mr. Sato 11am @SJK St.	9 tennis lesson	10 dept. mtg 1-2pm
15	16 business trip to Osaka	17
18 Conf. 1pm @SBS	19 Taishi's B-day	20 Payday gym

書き込みスペースが少ない場合は略語を使う

訳
[2] ミーティング　会議室にて午後4時
(M.R.=meeting room)
[3] 昼食　玉井と
[8] 佐藤氏午前11時新宿駅
(SJK St.=Shinjuku Station)
[9] テニスレッスン
[10] 部内会議 午後1ー2時
(dept. mtg=department meeting)
[15-17] 出張　大阪へ
[18] 会議 午後1時　新橋
(SBS=Shinbashi)
[19] 大志の誕生日
(B-day= birthday)
[20] 給料日 ジム

check!

□早番　early shift
□夜勤　night shift
□直行　go directly
□外出　out
□給料日　payday
□半休　half-day off
□会議、打ち合わせ　meeting
□話し合い　discussion
□遅番　late shift
□残業　overtime/overtime work
□直帰　go straight home
□休日　day off
□ボーナス　bonus
□夏休み　summer vacation
□職員会議　staff meeting
□加藤さん来社　Mr. Kato's visit
□定例会議　regular meeting
□企画会議　planning meeting
□営業会議　sales meeting
□役員会議　executive meeting
□佐藤さんとのアポイント　appointment with Ms. Sato
□加藤さんとの面接　interview with Mr. Kato
□健康診断　physical checkup
□プレゼンテーション　presentation

07

TODOリストは「何を＋どうする」を意識して書く

取り組むべきタスク（task）をリストアップするのが「TODOリスト」です。TODOは「これから取りかかるもの（To Do）」「今、実行中のもの（Doing）」「完了したもの（Done）」を把握しつつ、段取りよく片づけましょう。

TODOリストは、「何を＋どうする」という**「動詞（verb）＋目的語（object）」のパターンを意識して書いてみてください。**たとえばVisit Takeda Bucho（竹田部長を訪問する）のようにです。Takeda Buchoだけよりも、するべきことがはっきりします。また動詞のvisitを使うことで、表現の幅を増やしていきます。

仕事でよく使われる動詞は「call（電話する）」「visit（訪問する）」「make（作成する）」などだいたい決まっているので、覚えてしまいましょう。

「動詞＋目的語」のパターンを押さえたら**「前置詞（preposition）」を使って情報を加えていきましょう。**at 10:00p.m.（午後10時に）とか、at Ueno（上野で）といった場所や時間が書き足せると、より情報が詳しくなります。

英語でTODOリスト

To Do　　　　June. 10 (Fri.)

- ☐ Photocopy documents.
- ☐ E-mail Ms Tanaka.
- ☐ Order the parts.
- ☐ Call Ms. Yamada *about bills
- ☐ Check the data.
- ☐ Print out data.
- ☐ Make an appointment with Mr. Ida.
- ☐ Send packages to Mr. Takei.
- ☐ Go to AB at 15:00p.m.
- ☐ Buy a notebook.

訳

すること 6月10日(金)

- ☐ 書類をコピーする。
- ☐ 田中さんにメールする。
- ☐ 部品を注文する。
- ☐ 山田さんに電話する。
  請求書について
- ☐ データをチェックする。
- ☐ データをプリントアウトする。
- ☐ 井田さんとアポを取る。
- ☐ 武井さんに小包を送る。
- ☐ 15時にAB社を訪問する。
- ☐ ノートを買う。

check!

☐ コピーを3部取る。	Make three copies.
☐ 加藤さんと午前10時に会う。	Meet Ms. Kato at 10:00 a.m.
☐ 田中さんを訪問する。	Visit Mr. Tanaka.
☐ メールをチェックする。	Check my e-mail.
☐ 池田さんのメールに返信する。	Reply to Ms. Ikeda's e-mail.
☐ 上司に確認する。	Check with boss.
☐ 部下と打ち合わせをする。	Have a meeting with my staff.
☐ 会議を設定する。	Arrange a meeting.
☐ 会議室を予約する。	Reserve a meeting room.
☐ 会議に出席する。	Attend a meeting.
☐ アポイントを取る。	Make an appointment.
☐ アポをキャンセルする。	Cancel an appointment.

中川　裕（なかがわ・ゆう）
早稲田大学第一文学部卒業。システム開発会社や出版社勤務を経てフリーに。主に仕事術、独立起業、ライフプラン関連書籍の執筆に携わっている。
著書は『図解！頭のいい人のメモ・ノート』『会社では教えてくれない！頭のいいメモ術ノート術』など多数。共訳に『ハリー・ポッターの世界がわかる本』がある。
mail：yuh_nakagawa@yahoo.co.jp

仕事のできる人が実践しているメモ術・ノート術

2023年5月2日　初版発行

著　者　中川　裕
発行者　和田智明
発行所　株式会社　ぱる出版

〒160-0011　東京都新宿区若葉1-9-16
03(3353)2835－代表　03(3353)2826－FAX
03(3353)3679－編集
振替　東京　00100-3-131586
印刷・製本　中央精版印刷（株）

ISBN978-4-8272-1394-2　C0034